de

à famille de Chloé

Le monde selon Félix

Geneviève Hone

Le monde selon Félix

NOVALIS

Le monde selon Félix est publié par Novalis.
Édition originale : *The Way I See It. Life Lessons from a Child*, Ottawa, Novalis, 2007.
Traduction : Josée Latulippe
Éditique : Dominique Pelland
Couverture : peinture de Julien Mercure, mise en page de Dominique Pelland

Dépôts légaux : 1er trimestre 2007
Bibliothèque nationale du Canada
Bibliothèque nationale du Québec

Novalis, 4475, rue Frontenac, Montréal (Québec), H2H 2S2
C.P. 990, succursale Delorimier, Montréal (Québec), H2H 2T1

Nous reconnaissons l'aide financière du gouvernement du Canada par l'entremise du Programme d'aide au développement de l'industrie de l'édition (PADIÉ) pour nos activités d'édition.

ISBN : 978-2-89507-865-4

Imprimé au Canada

Catalogage avant publication de Bibliothèque et Archives Canada

Hone, Geneviève, 1941-
Le monde selon Félix
Traduction de : The way I see it.

ISBN : 978-2-89507-865-4

1. Éducation des enfants. 2. Enfants - Morale pratique. 3. Éducation morale. 4. Valeurs (Philosophie). I. Titre.

HQ772.5.H6514 2007 649'.1 C2006-942272-9

NOVALIS

À Alex qui m'a fait connaître Félix

À Luc et Yasmin qui m'ont fait connaître Alex

et bien sûr

À Julien

Remerciements

Je veux dire merci à tant de gens!

À mes amis et collègues,
qui m'ont offert encouragement et aide;

À ma famille, qui a été si patiente envers Grand-maman;

À Julien, mon mari,
qui en plus de faire la plupart de mes repas
a peint le tableau de la page couverture;

À l'équipe de Novalis, qui a adopté Félix;

Et particulièrement à Josée Latulippe,
qui a su rendre Félix aussi beau en français
qu'il l'est en anglais!

Introduction

Le petit garçon qui raconte ces histoires s'est manifesté de façon tout à fait inattendue par une belle journée d'août 2004. Il est apparu dans le coin de mon cerveau qui cherche à expliquer la vie, tant à moi-même qu'aux autres. Au début, j'ai tenté de chasser le petit garçon, le considérant comme un pur produit de mon imagination. Il n'a pas cessé toutefois de chercher à attirer mon attention; il se pointait à toute heure du jour : durant la période étrange entre le sommeil et l'éveil, pendant la promenade matinale, pendant la préparation d'un repas, au cours d'une randonnée à la campagne. À un moment donné, il a commencé à exiger que je lui réponde, que je fasse des commentaires sur ce qu'il me disait, comme pour s'assurer que je l'écoutais vraiment. Il en est même venu à s'immiscer dans les conversations que j'entretenais avec ma famille et mes amis, surtout quand nous parlions de la vie : de l'espérance, de la douleur, du mystère.

Le petit garçon est âgé d'environ deux ans et demi et il a beaucoup de choses à dire. J'ai mis du temps à comprendre qui il est et ce qu'il est. Il est différent de tous les enfants que je connais, et pourtant il me rappelle tous les enfants que j'ai connus et appris à aimer tout au long de mon expérience de mère, de grand-mère, de travailleuse sociale et de thérapeute familiale. Il m'oblige à être vigilante : dès que je crois comprendre comment il pense, il me démontre une autre façon d'aborder le même sujet. À l'instant même où j'ai l'impression de savoir qui il est et comment il se sent, il me fait part d'intuitions et de découvertes tout à fait inattendues.

Si ce petit garçon est capable d'écrire sur sa vie, c'est qu'il a une grand-mère astucieuse qui arrive à comprendre ce qui n'est pas clairement exprimé. En fait, il a deux grands-mères astucieuses, mais l'une d'elles habite très loin et il la voit moins souvent. Toutefois, quand elle vient le visiter, ils ont de grandes discussions sur tous les aspects de la vie pendant qu'elle l'inonde d'énormes quantités d'amour. Le vocabulaire du petit garçon est limité. Cela peut conduire à toutes sortes de malentendus, tout voyageur chevronné pourrait en témoigner. Devant la perspective de devoir manger du brocoli, le « VEUX PAS! » d'un enfant peut cacher plusieurs significations. Peut-être : « Je dis "non" parce que c'est ce que je dois faire à mon âge, et puis de toute façon tu ne peux pas me forcer à avaler. » Ou : « Attention, Papa! Quand tu me nourris, tu ne fais pas que me donner à manger, tu es en train de m'aider à construire ma relation à la nourriture. Alors du calme! » Ou encore : « Cette chose n'est vraiment pas bonne au goût. Si tu continues de m'offrir ce type de nourriture, l'un de nous deux devra quitter la ville. » « VEUX PAS » n'est manifestement pas à la hauteur. La grand-maman du petit garçon a donc accepté de traduire pour les grandes personnes. Elle nous assure que rien ne sera *perdu* dans la traduction. Au contraire, le petit garçon est persuadé que bien des choses supplémentaires y seront *découvertes*!

Sa grand-mère... j'ai mis du temps à comprendre qui elle est, et je dois avouer que je n'y suis pas encore arrivée. Dès que je crois savoir d'où elle vient, elle change d'avis à propos de quelque chose et affirme le contraire de ce qu'elle disait deux jours plus tôt. Elle peut suggérer les choses les plus étranges, frisant parfois le scandaleux, et pourtant j'ai l'impression qu'elle est plutôt timide et hésitante. Elle est différente de toutes les grands-mères que je connais, mais elle me rappelle tous les grands-parents et parents que j'ai rencontrés et appris à aimer à travers mon expérience de parent et de thérapeute.

Le petit garçon ne veut pas que ses parents sachent qu'il écrit ce livre. Il est donc en train de se choisir un pseudonyme. Lui et sa grand-mère croient fermement que les parents ont le droit de vivre dans la tranquillité et dans la paix. Il ne veut donc pas que ses parents soient importunés par des gens qui sonneraient à la porte et lui demanderaient son autographe. À ce jour, il ne m'a pas révélé son vrai nom, et je n'ai pas l'impression qu'il le fera. Il m'a toutefois donné un indice : son vrai nom ne commence pas par la lettre « b », cette lettre, tout le monde le sait, étant réservée au mot « ballon ».

Geneviève Hone

1

Choisir d'aimer : l'adoption

Permettez-moi de me présenter. C'est cependant un peu compliqué pour moi de vous dire qui je suis, étant donné que je ne veux pas vous révéler mon nom. En effet, je ne veux pas que mon papa et ma maman sachent que je suis en train d'écrire ceci, alors ma grand-maman a dit que je devrais me choisir un pseudonyme pour raconter mes histoires. Je n'avais aucune idée de ce qu'était un pseudonyme jusqu'à ce que Grand-maman utilise ce grand mot. L'espace d'une seconde, j'ai pensé qu'il s'agissait peut-être d'une sorte de dinosaure que je ne connaissais pas encore. Mais Grand-maman ne me dit jamais un grand mot sans immédiatement m'expliquer ce qu'il veut dire. Elle sait que ça peut être très fatigant pour des enfants de subir, à longueur de jour, des mots de grandes personnes. Les nouveaux mots, c'est un peu comme des morceaux d'un casse-tête qu'il faudrait faire sans même avoir d'image sur la boîte. Ça rend la vie impossible.

Ce que j'ai appris, c'est qu'un pseudonyme est comme un masque d'Halloween, sauf qu'il ne cache pas votre visage. Il cache seulement votre nom si vous ne voulez pas être reconnu. À l'Halloween, l'année passée, j'enlevais souvent mon masque pour que les gens sachent que je n'étais pas vraiment un gros fantôme vert. En effet, ils n'auraient peut-être pas voulu donner des bonbons à un gros fantôme vert, alors je les ai aidés à comprendre qu'il y avait un petit garçon sous le masque. Mais même si vous m'offrez beaucoup de bonbons, je n'enlèverai pas mon pseudonyme.

Depuis que j'ai parlé de tout ça avec Grand-maman, j'ai travaillé très fort pour trouver le meilleur nom pour moi. Au début, je pensais que j'aimerais bien m'appeler Igor, à cause du Prince Igor. Le Prince Igor est une histoire que Grand-maman aime bien me raconter, et cette histoire ne finira jamais parce que je l'aime.

Grand-maman change constamment l'histoire pour vérifier si j'écoute. Par exemple, elle dit : « Le Prince Igor est monté dans le train », mais il n'y a pas de train dans l'histoire, seulement des éléphants et des chameaux. Alors je dois dire : « Non, Grand-maman, pas train. » Si Grand-maman modifie toujours l'histoire, c'est parce qu'elle croit que nos histoires à nous changent tout le temps. La vie peut être très intéressante si nous laissons nos histoires changer, mais beaucoup de gens ont appris qu'ils n'ont droit qu'à une seule histoire pendant toute leur vie et qu'ils ne peuvent pas la modifier. C'est vraiment triste. Grand-maman veut que je m'habitue à l'idée que l'histoire de ma vie va changer jusqu'à la fin. Comme ça, je ne vais jamais m'ennuyer.

Après mûre réflexion, j'ai décidé de ne pas choisir Igor comme pseudonyme. Le Prince Igor a voyagé à travers plusieurs pays, et bien sûr, il est bien connu là-bas. Je me suis dit que ça pourrait être embêtant si un jour je visitais ces pays-là. J'ai alors pensé que Cracker Jack serait un joli nom. Les Cracker Jack, c'est une sorte de maïs soufflé. Mon ami Martin en a souvent mangé et il dit que c'est un des meilleurs aliments du monde entier. Il aime tellement ça qu'il n'a jamais voulu partager avec moi, alors je n'y ai jamais goûté, mais j'aime le nom.

Mais là encore, je me suis dit qu'avec un nom comme celui-là, les gens pourraient penser que je ressemble à un morceau de maïs soufflé. Alors j'ai décidé de ne pas l'adopter. J'ai pensé à plusieurs autres noms, comme Crocodile, Ascenseur et Soccer, mais j'avais l'impression qu'aucun ne m'allait parfaitement. Tout cela pour vous dire que je ne me suis pas encore vraiment décidé. Grand-maman pense que Félix serait un beau nom, parce que ça veut dire « heureux » et que je suis habituellement un enfant heureux. Elle m'a suggéré d'en faire l'essai. Grand-maman dit que c'est normal de vouloir ou d'avoir besoin de changer de nom de temps à autre, et que c'est normal aussi que ça prenne un peu de temps pour trouver le nom qui nous convient parfaitement. Ça peut prendre plusieurs essais. Je vous le dirai quand je serai décidé. Pour le moment, vous pouvez faire semblant que je m'appelle Félix. Ne cherchez pas à savoir mon vrai nom. Je ne sais pas le vôtre, mais ça ne m'empêchera pas de vous dire des choses. Restons calmes avec cette histoire de nom!

Maintenant que nous avons réglé la question du pseudonyme, je vais vous parler du Prince Igor. Le Prince Igor avait un gros coffre au trésor rempli de ses objets préférés. Il y mettait même son ourson en peluche. Quelle erreur! En effet, un jour des méchants sont venus et ont volé son coffre au trésor. Je n'ai encore jamais rencontré de méchants, mais il y en a dans plusieurs histoires, et parfois ils peuvent sortir du livre pour entrer dans vos rêves et vous causer des ennuis. Vos parents doivent alors vous réveiller au milieu de la nuit pour chasser les méchants. C'est du travail pour eux, et ça les fatigue beaucoup. Le matin, rien qu'à regarder leur visage, vous pouvez savoir qu'ils ont travaillé fort pendant la nuit : ils marchent lentement et ne disent pas grand-chose, même quand ils parlent. Quand ça arrive, il faut essayer de les mettre dans un environnement calme, dans la cuisine par exemple, pour qu'ils puissent préparer le déjeuner. Ça peut être aussi le bon moment de leur proposer qu'ils vous installent devant votre émission préférée dans une autre pièce, comme ça ils seront tranquilles un moment.

J'aime bien le Prince Igor. Il est très courageux et il voyage à travers le monde pour retrouver son ourson en peluche. Jamais il ne l'abandonnerait. Avant, je m'inquiétais pour son ourson, mais Grand-maman a dit que tant que quelqu'un vous cherche et veut vraiment vous trouver, tout va bien aller pour vous. Parfois, j'imagine même que je suis le Prince Igor.

Grand-maman pense que j'ai beaucoup de choses intéressantes à dire et je la crois, parce qu'elle m'écoute toujours très attentivement quand je lui raconte une histoire. Elle m'a proposé d'écrire les histoires que je lui raconte parce qu'elle pense que ça pourrait intéresser beaucoup de monde. J'ai accepté qu'elle m'aide parce que je ne sais pas encore écrire avec des mots que les grandes personnes comprennent. Remarquez, j'aime écrire — c'est un bon passe-temps. Et il m'est souvent arrivé d'écrire sur mon tableau, dans mes cahiers à colorier et, parfois, sur les murs de ma chambre. Mais j'écris plutôt des dessins que des lettres.

Comme le Prince Igor, moi aussi j'ai un ourson en peluche, mais jamais je ne le mets dans mon coffre au trésor. J'ai aussi d'autres amis. Nous aimons nous rencontrer et discuter quand nos parents parlent entre eux pendant une visite ou à l'occasion d'une activité éducative ou d'un groupe de jeu. Une activité éducative, c'est quelque chose que nos parents nous font faire quand ils sont fatigués d'être tout ce qu'ils doivent être pour être des bons parents : instructeurs de natation, bibliothécaires, professeurs de musique, conservateurs de musée, ergothérapeutes, professeurs d'arts plastiques, professeurs d'éducation physique, professeurs de chant, cuisiniers, chauffeurs, infirmiers, pharmaciens, médecins, etc. Habituellement, j'aime bien les activités éducatives et les groupes de jeu. C'est une bonne façon de rencontrer mes amis et de m'ouvrir l'esprit, comme dit Grand-maman.

Mais assez parlé de moi. Laissez-moi vous raconter ce qui nous est arrivé, à mes amis et à moi, la semaine passée au groupe de jeu. Nous étions occupés à vivre, tout simplement. Tout allait bien. J'avais découvert une station de pâte à modeler très intéressante et j'étais en train de faire de la pizza pour tout le groupe. Ahn-Lin avait décidé de faire des biscuits santé avec de la pâte à modeler et elle travaillait dans le coin cuisine. Tout à coup, Martin a décidé que c'était lui qui ferait cuire les biscuits, et il a dit à Ahn-Lin de s'enlever. Eh bien! Ahn-Lin n'était pas du tout d'accord avec l'idée de Martin, et elle l'a poussé. Martin a commencé à donner des coups de pied dans le four, même si le four n'avait rien fait de mal. L'éducatrice est arrivée et elle a envoyé Martin dans un autre coin pour qu'il réfléchisse aux avantages et aux désavantages des coups de pied. Nous, nous avons continué à travailler.

Martin a finalement eu la permission de se déplacer, mais je voyais bien qu'il n'était pas très content de la façon dont il avait été traité. Alors quand il est venu nous rejoindre, il a carrément dit à Ahn-Lin qu'elle était adoptée. Ahn-Lin l'a regardé comme s'il était un film super ennuyeux et elle a continué à faire cuire ses biscuits. Au début, Éric et moi n'étions pas très impressionnés, surtout parce que nous n'avions pas la moindre idée de ce que voulait dire « être adopté ». Mais ensuite, Martin nous a expliqué que les parents d'Ahn-Lin n'étaient pas ses vrais parents. Pourtant, j'avais vu les parents d'Ahn-Lin le matin même quand ils l'avaient emmenée au groupe de jeu, et ils avaient l'air bien vrais, pour autant que je sache. Je l'ai dit à Martin, mais Martin a dit que les vrais parents d'Ahn-Lin étaient dans un pays très loin — ceux que j'avais vus le matin même étaient ses pas-vrais parents. Ses pas-vrais parents avaient fait un très long voyage dans un gros avion pour aller la chercher. Quand ils sont arrivés dans le pays d'Ahn-Lin, elle était déjà un grand bébé et c'est pour ça qu'elle est plus grande que nous et qu'elle est déjà complètement propre. Je pense que Martin est un peu jaloux d'Ahn-Lin parce qu'elle a déjà fait un tour d'avion et pas lui.

J'aime Ahn-Lin. Elle est gentille et toujours prête à partager ses jouets avec nous, alors ça me faisait de la peine d'apprendre que ses parents n'étaient pas des vrais parents. Ça doit être dur d'avoir des pas-vrais parents. J'ai demandé à Ahn-Lin de me parler de son pays, parce que c'est là que le Prince Igor est rendu cette semaine, mais elle m'a suggéré de retourner à mes pizzas.

Quand j'ai raconté la nouvelle à Grand-maman, elle est restée calme. J'ai vu tout de suite qu'elle n'était très impressionnée par ce que Martin avait dit, même si elle sait que Martin a deux papas et donc qu'il connaît bien plus de choses que moi. Grand-maman a dit que les parents d'Ahn-Lin étaient très vrais. J'avais eu raison de le dire à Martin. Grand-maman a suggéré qu'une autre façon de voir tout cela serait de dire qu'Ahn-Lin a eu des premiers parents qui étaient bien vrais. Ce sont ces premiers parents qui l'ont mise au monde. Ensuite il est arrivé quelque chose, on ne sait pas quoi, qui a fait qu'ils ne pouvaient plus prendre soin d'Ahn-Lin. Ils ont fait ce qu'il fallait pour qu'Ahn-Lin soit amenée là où ses deuxièmes parents pourraient la trouver. Les deuxièmes parents sont tout aussi vrais que les premiers — c'est le fait qu'ils l'ont choisie qui fait d'eux des vrais parents. C'est comme ça qu'ils l'ont adoptée. Un enfant peut avoir plusieurs parents pendant sa vie, et tous ces parents sont vrais s'ils ont choisi d'aimer cet enfant.

Grand-maman, qui aime que les choses soient précises, a ajouté que tous les parents doivent adopter leurs enfants et que Papa et Maman, même si je ne le savais pas, sont toujours en train de m'adopter — c'est-à-dire de choisir d'être avec moi. Ils doivent faire ça continuellement parce que je change tout le temps. Une partie de moi est comme un petit étranger pour eux, alors ils doivent sans arrêt adopter ce petit étranger. Ils n'ont pas besoin de prendre un avion, mais ils doivent voyager dans des coins reculés de leur cœur pour être capables de m'adopter.

Alors quand Papa est rentré à la maison, je lui ai dit que je savais que j'étais adopté. Il a levé les yeux au ciel comme il le fait parfois quand il entend raconter les choses que j'ai faites dans la journée, et il a dit à Maman qu'il allait devoir gronder Grand-maman. Mais ensuite il s'est mis à rire et j'ai su qu'une fois encore Grand-maman allait s'en tirer.

« Nous avons rêvé de toi »

Nous avons rêvé de toi.
Nous avons rêvé du jour
où enfin nous ferions ta connaissance,
de ce jour où, tendant la main, nous pourrions te toucher,
nous pourrions t'aimer.
Un jour, notre rêve s'est réalisé.
Nous avons fait un grand voyage,
traversé une partie de notre pays,
une partie du monde,
une partie de ton pays,
et finalement, enfin, tu étais là,
notre petit trésor à nous,
à aimer pour toujours.

Après tous ces voyages,
nous avons pensé qu'il serait bon
de rester chez nous,
pour apprendre à te connaître
et à t'aimer encore davantage,
pour t'aider à grandir, à apprendre, à embrasser la vie,
pour t'aider à devenir cet enfant si beau que tu es devenu.

Nous sommes effectivement restés à la maison,
mais tu nous as remis en marche.
Depuis que tu es avec nous,
nous avons entrepris un autre itinéraire :
sans cesse nous voyageons au plus profond
de notre esprit

de notre âme

de notre cœur

pour te trouver, te toucher et t'aimer.

Le voyage que tu nous fais faire

semble sans fin.

Tu es le meilleur de tous les agents de voyages!

2

Ensemble dans la douleur :

le bébé perdu

Il faut que je vous raconte ce qui est arrivé à Stéphane. Il vient aux activités à la bibliothèque parce qu'il aime les livres avec des dinosaures et que là, il y en a beaucoup. Il y a à peu près un mois, ce n'est pas sa mère mais sa grand-mère qui l'accompagnait. Il nous a raconté que sa maman était allée à l'hôpital avec son papa pour chercher leur nouveau bébé, et qu'en revenant ils l'avaient perdu. Tout le monde chez lui pleurait, sauf sa maman. Stéphane était bouleversé parce que personne ne cherchait le bébé qui était perdu. Il avait peur que si lui-même se perdait, personne ne se mettrait à sa recherche. J'étais très intéressé par ce qu'il avait à dire, à cause du Prince Igor qui, lui, cherche son ourson en peluche. J'ai dit à Stéphane que c'étaient peut-être les méchants qui avaient pris le bébé et l'avaient emmené loin de chez lui. Martin a dit non, que ce n'était pas ça du tout. Martin a deux papas, comme je l'ai déjà dit, et il aime bien partager ses opinions avec les autres, puisqu'il en a beaucoup. Étant donné qu'il est plus grand que nous, nous sommes portés à l'écouter la plupart du temps. Martin a dit que le bébé n'était pas perdu, mais qu'il avait simplement été mis quelque part. Quand Martin avait l'habitude de lancer sa locomotive à l'autre bout du salon, sa mère disait : « Si tu fais ça une autre fois, tu vas perdre ta locomotive pour de bon. » Eh bien! un jour, c'est exactement ce qui est arrivé, et la mère de Martin a mis la locomotive dans une armoire au sous-sol. J'ai remarqué que quand les adultes disent « pour de bon », ils veulent habituellement dire « pour de pas bon ».

En tout cas, Stéphane était d'accord, c'était probablement ce qui s'était passé. Ensuite, nous ne l'avons plus revu pendant quelque temps. Mais nous avons entendu deux mères parler entre elles. L'une disait que la famille de Stéphane vivait des choses difficiles et que Stéphane ne se sentait pas bien du tout. Nous étions un peu inquiets, parce que c'est bien de s'inquiéter de ses amis. Mais nous avons vite oublié ces mauvaises nouvelles, parce que nous avions l'occasion d'emprunter de nouveaux films à la bibliothèque.

Stéphane est revenu la semaine passée, et cette fois il a amené sa maman. Il avait toute une histoire à raconter. Au début, il pensait que le bébé perdu avait été mis dans l'armoire au sous-sol, comme la locomotive de Martin. Pendant la nuit, le bébé perdu sortait de l'armoire et entrait dans les rêves de Stéphane, et chaque fois, le papa de Stéphane devait le réveiller. Alors Stéphane a décidé de ne plus aller jouer dans sa salle de jeu au sous-sol, où se trouvait l'armoire en question. Son papa a essayé de le persuader de descendre en offrant d'y aller avec lui, mais Stéphane s'est mis à hurler. Sa maman a tenté de l'aider en le prenant dans ses bras et en le berçant, mais même si en dehors elle était chaude, il y avait de la glace en dedans d'elle — Stéphane le voyait dans ses yeux. Stéphane n'aimait pas du tout ça. La glace, c'est bon quand il y a une sucette glacée autour, mais il y a aussi de la mauvaise glace. Et la glace dans les yeux d'une maman n'est pas de la bonne glace. Stéphane a essayé de réchauffer sa mère en se blottissant encore plus près dans ses bras, mais ça n'a pas changé grand-chose.

Finalement, le papa et la maman de Stéphane l'ont emmené voir un nouveau docteur parce qu'il criait vraiment trop. Son papa lui a expliqué que le docteur allait écouter son cœur, mais seulement avec ses oreilles, pas avec le cercle magique avec les tubes qui vont dans les oreilles. Le docteur a écouté les parents de Stéphane décrire les cris de leur enfant. Puis il a demandé à Stéphane : « Crois-tu que le bébé perdu a été placé dans l'armoire au sous-sol? » Stéphane a dit oui. Le docteur a dit : « Stéphane, le bébé n'est pas perdu et il n'est pas dans l'armoire. Le bébé est mort. » Stéphane savait exactement ce que le docteur voulait dire, parce qu'un jour il avait trouvé un bébé oiseau mort. Le papa de Stéphane avait alors expliqué que le bébé oiseau ne pouvait pas bouger parce que la vie était sortie de lui. La vie, c'est ce qui fait bouger les oiseaux morts avant qu'ils soient morts. Ensuite, Stéphane et son papa avaient mis l'oiseau dans un trou dans la terre sous un arbre. Le docteur a regardé la maman de Stéphane et lui a suggéré quelque chose à dire à son enfant. Alors la maman de Stéphane l'a regardé et lui a dit : « Merci, Stéphane, d'avoir voulu nous aider. » Et puis elle s'est mise à pleurer. C'était à cause de toute la glace qui fondait et qui sortait par ses yeux. Juste à ce moment-là, Stéphane a su que sa maman serait à nouveau chaude en dedans et que le bébé perdu ne reviendrait plus jamais dans ses rêves.

J'avais vraiment hâte de raconter cette histoire très triste à Grand-maman, parce qu'elle aime les histoires où il y a des gens qui s'aident. J'avais besoin qu'elle m'aide à comprendre comment le fait que Stéphane criait avait aidé sa maman. J'ai une certaine expérience dans les cris, parce qu'il m'arrive parfois d'utiliser cette technique quand mes parents ne se comportent pas selon mes attentes. Et quand je crie, ma maman dit toujours : « Crier ne t'aide pas du tout en ce moment. »

Grand-maman m'a expliqué que les familles ont des parents et des enfants; c'est comme ça que ça doit être. Je le savais déjà, bien sûr. Ce que je ne savais pas, c'est que les familles essaient de faire en sorte que les parents soient toujours les grandes personnes et que les enfants soient toujours les petites personnes. Quand les parents vivent quelque chose de difficile, ils n'ont pas toujours la force d'être des grandes personnes, et les enfants le sentent, même si personne n'en parle. Alors les enfants, sans trop le savoir, font parfois des choses pour que les parents redeviennent des grandes personnes. Ça n'a pas toujours l'air d'aider. En fait, souvent, on dirait que ce que font les enfants ajoute au problème. Mais ils essaient de dire, à leur manière : « Nous avons besoin d'une famille où les parents sont des *grandes* personnes. » Grand-maman pense que c'est ce que Stéphane faisait, et sa maman l'a compris et elle l'a remercié pour son aide.

Grand-maman m'a dit aussi qu'elle ne pensait pas que cette histoire était une histoire triste. Pour elle, c'était une histoire qui parle de tristesse et de gens qui sont tristes parce qu'ils ont perdu quelque chose de précieux. Ce n'est pas la même chose. Elle m'a aussi expliqué que chaque personne — y compris moi, parce que Grand-maman me voit comme une personne — a sa façon bien à elle de vivre les choses difficiles. Certains ont besoin de passer beaucoup de temps en dedans d'eux pour traverser ces moments, et alors on a l'impression qu'ils sont fermés au reste du monde. Mais ils ne le sont pas vraiment; c'est tout simplement leur façon de se protéger. D'autres ont besoin de passer du temps avec les gens qu'ils aiment pour parler de leur colère, de leur tristesse et de leurs peurs. Et d'autres encore ont besoin d'être très occupés, au point que les gens autour d'eux ont parfois la tentation de leur dire de ralentir et de se reposer. S'occuper est peut-être leur façon de lentement accepter leur perte. C'est un peu comme quand j'ai besoin de dormir parce que je suis très fatigué, mais que je suis trop fatigué pour m'endormir. C'est comme ça que mon corps réagit au fait d'être fatigué, et c'est un peu bizarre que je ne m'endorme pas facilement quand ça arrive. Mes parents essaient de m'aider, parce qu'ils savent que je fais de mon mieux.

À ce moment-là de ma discussion avec Grand-maman, je dois admettre que je commençais à m'endormir, puisque c'était l'heure du dodo. J'ai rappelé à Grand-maman qu'il nous fallait retourner à l'histoire du Prince Igor. Lui aussi avait eu une journée remplie d'aventures dans le pays qu'il traversait alors. Je me suis endormi juste au moment où il s'apprêtait à se coucher dans une maison qu'il avait construite dans un arbre pour être à l'abri des méchants.

« Je t'ai donné la vie et tu l'as prise »

Je t'ai donné la vie et tu l'as prise
dans tes toutes petites mains et dans ton tout petit cœur,
et tu as souri, tu as ri, tu as dansé.
J'ai continué à te donner la vie et tu l'as prise
dans tes petites mains et dans ton petit cœur,
et tu as rampé, tu as marché, tu as couru.
J'ai continué à te donner la vie et tu l'as prise
dans tes mains si fortes et dans ton cœur si fort,
et tu t'es émerveillé, tu as parlé, tu as chanté.

Et puis vinrent les nuages sombres,
masquant de peine et de douleur et de colère et de peur
mon visage, mon énergie, mon amour et ma vie.
J'avais l'impression de ne plus pouvoir te donner la vie
et pourtant il semble que j'y suis arrivée
parce que tu as ouvert tes mains et ton cœur
remplis d'amour
et à ton tour tu m'as donné la vie.

3

Grandir rapidement : le grand frère

David a un nouveau bébé dans sa maison. David a trois ans, alors bien sûr il sait d'où viennent les bébés. Sa mère s'y était prise à l'avance pour lui dire qu'il allait avoir une petite sœur, mais elle était fatiguée, alors elle a oublié de mentionner certaines choses importantes. Par exemple, elle ne lui a jamais expliqué que même si son ventre ressemblait à un gros ballon, le bébé n'aurait pas la même forme. Il a fallu que David renonce à son projet de faire rebondir le bébé partout dans la maison. L'autre chose qui n'avait jamais été spécifiée, c'est que le nouveau bébé allait rester très longtemps chez eux, même plus que quarante-douze Noëls. Alors après quelque jours, quand David a constaté que sa sœur ne s'en allait pas, comme le font les autres visiteurs, il a gentiment demandé quand elle allait partir. Il a été stupéfait d'apprendre qu'elle allait rester avec eux pour toujours.

Pour compliquer les choses, David a découvert qu'il n'aimait pas ça du tout, avoir une petite sœur et être un grand garçon. Devenir un grand garçon, c'est quelque chose que nous devons tous faire un jour ou l'autre, à moins d'être une fille, mais ce n'est pas quelque chose que nous avons hâte de faire, en tout cas pas autant que nos parents le souhaitent. Personnellement, je ne suis pas encore un grand garçon, même si mon papa et ma maman font semblant que j'en suis un. Ils disent à leurs amis : « Félix est vraiment un grand garçon maintenant, il a encore fallu lui acheter une nouvelle paire de chaussures et il sait compter jusqu'à treize. » Je ne suis vraiment pas pressé de faire le saut et de devenir un grand garçon. J'accepterais tout au plus de devenir un garçon moyen, et seulement à temps partiel, et à la condition que mes parents me permettent de regarder la télévision avant de partir pour la garderie le matin. Grand-maman dit que je pourrais être un très bon négociateur quand je serai grand, mais ça n'arrivera sûrement pas parce que je n'ai vraiment pas envie de grandir, surtout après ce qui est arrivé à David.

Un matin au groupe de jeu, pendant que les mamans parlaient entre elles et berçaient à tour de rôle la petite sœur de David en disant des choses comme « Oh! qu'est-ce qu'elle est mignonne! », nous avons fait des plans pour aider David. Eugénie, qui est une fille et donc qui connaît ça les petites sœurs, même si elle a un petit frère, a dit que peut-être la maman de David aime vraiment beaucoup les petits bébés. Depuis que David a commencé à grandir, elle n'avait plus de petit bébé avec lequel jouer. C'est pour ça qu'avec le papa de David, elle a décidé d'aller chercher un nouveau bébé. Ensuite Martin, qui a toujours beaucoup d'opinions parce qu'il a deux papas et deux grands frères, a dit que si David arrêtait d'être un grand garçon et redevenait un petit bébé, sa maman n'aurait plus besoin de la petite sœur et la renverrait là d'où elle vient. Personne n'avait vraiment d'idée très claire sur l'endroit exact d'où venait la petite sœur, mais ce n'était pas grave.

Alors David a décidé de redevenir un bébé. La première chose qu'il a faite quand il est retourné chez lui avec sa maman a été d'oublier comment être propre. Ensuite, il ne savait plus boire dans un verre. Il a pris la sucette du bébé et l'a donnée à son ourson en peluche, même si David n'a pas vraiment d'ourson en peluche. Il a un dinosaure en peluche que son papa lui a rapporté au retour d'un voyage. Son dinosaure a des dents très, très grosses et il peut crier très fort et il a déchiré la sucette avec ses dents. Quand sa maman l'appelait pour qu'il vienne s'asseoir à la table pour le souper, David se laissait tomber par terre et était incapable de se relever. C'est son papa qui devait le ramasser, parce que sa maman avait toujours le bébé dans les bras. Et ensuite, David ne pouvait plus se rappeler comment mettre ses bras dans les manches de son pyjama ou comment tenir sa fourchette, et il renversait accidentellement son jus de pomme sur sa tête. Et quand son papa le couchait, il se mettait à pleurer, exactement comme sa petite sœur.

David a travaillé très fort pour redevenir un bébé, mais personne n'avait l'air d'apprécier ses efforts. Son papa continuait de le ramasser quand il se jetait par terre, et sa maman continuait de prendre la petite sœur dans ses bras. Tout le monde faisait toujours semblant qu'il n'y avait qu'un bébé dans la maison. Le papa et la maman de David continuaient tous les deux de lui rappeler qu'il était un *grand garçon maintenant* et ils lui donnaient plein d'occasions d'agir comme tel. Par exemple, son papa l'a amené au Musée de l'agriculture pour voir les grosses machines, et David a presque oublié qu'il était trop petit pour s'asseoir sur le tracteur.

David voyait bien que ses parents ne comprenaient pas qu'il était redevenu un bébé : peu importe ce qu'il faisait, ils continuaient de le traiter comme un grand garçon. C'était très dur pour David, comme c'est le cas pour tout enfant de trois ans dont les parents, pour une raison ou pour une autre, ne voient tout simplement pas ce qui est évident. La maman de David est une très bonne maman, même si elle a invité ce bébé à rester dans leur maison. Elle disait souvent à David qu'elle l'aimait et elle lui chantait des berceuses à l'heure du dodo. Mais pendant la journée, elle continuait d'appeler David son grand garçon, et ça n'aidait pas les choses.

Après plusieurs jours d'incompréhension, la maman de David s'est rendue à l'évidence : il y avait maintenant deux bébés dans la maison. Puisqu'elle aime les bébés, elle était sans doute très heureuse. Plus question d'insister pour que David soit un grand garçon. Elle a même commencé à l'appeler son tout petit garçon, ce qui était très gentil de sa part. Elle ne se moquait pas de David. Au contraire, elle reconnaissait simplement qu'il était aussi petit que le nouveau bébé, mais d'une autre manière. Elle a arrêté de parler du fait que David avait oublié quoi faire pour être propre et aussi d'insister pour que David mange avec sa fourchette. Elle est allée jusqu'à donner à David un biberon bien à lui, dans lequel il pouvait boire son lait. Elle l'enveloppait dans une couverture de bébé quand il regardait la télévision. Et plein de choses comme ça. Même le papa de David le laissait être un bébé, mais ça ne compte pas parce que le papa et la maman de David font toujours des plans ensemble. David ne savait pas si son papa faisait ça seulement pour faire comme sa maman ou s'il s'était vraiment rendu compte qu'il y avait maintenant deux bébés dans la famille.

À la rencontre suivante, David nous a dit à quel point son plan avait bien marché, mais j'ai bien vu qu'il n'était pas complètement satisfait de son nouveau rôle. Il faisait semblant d'être un bébé seulement quand sa maman le regardait. Quand elle était occupée avec les autres mères à parler en bébé à la petite sœur, il se comportait comme le grand qu'il était. À un moment donné, il a lancé un livre à l'autre bout de la pièce pour le prouver. Quand j'en ai parlé avec Grand-maman, elle m'a expliqué que David était en train d'apprendre des choses dans cette expérience, et que son expérience n'était pas encore tout à fait finie. Quand des gens essaient des nouvelles façons de vivre leur vie, ils peuvent être très excités et heureux, mais en même temps inquiets et malheureux. C'est normal; ça montre qu'ils sont bien en vie.

La semaine suivante, David a décidé que ses parents avaient enfin appris leur leçon et que c'était le temps de redevenir un grand garçon. Et puis il voulait pouvoir conduire le gros tracteur au Musée de l'agriculture. Il a réappris à être propre, tâche relativement facile car il n'avait pas oublié comment faire les choses. Il a insisté pour ravoir sa fourchette, sa cuillère et son verre, et il a enlevé la sucette à son dinosaure pour la redonner à sa maman. Quand elle a vu l'état de la sucette, sa maman a dit que le dinosaure en peluche pouvait bien la garder.

Quand j'ai raconté tout ça à Grand-maman, elle a dit qu'en grandissant les gens gardent dans leur cœur, dans leur tête et dans tout leur corps la capacité d'être petits. Tous les gens ont besoin, de temps en temps, de se sentir petits et d'agir comme s'ils l'étaient. Ça leur permet, entre autres, de faire l'expérience de la joie et de la créativité. Ça les aide aussi à se rendre compte qu'ils ont besoin d'aide à certains moments de leur vie, quand ils sont malades par exemple. C'est permis de demander de l'aide et d'en recevoir. Parfois, Grand-maman elle-même a peur de quelque chose qui n'est pas vraiment dangereux et mon grand-papa sait qu'elle est seulement devenue un peu petite. Grand-papa ne la gronde pas du tout. Au contraire, il reste avec elle assez longtemps pour qu'elle puisse redevenir une grande personne, et Grand-maman trouve que ça l'aide beaucoup. Cette manière de faire est bien plus rapide que si elle avait à prouver qu'elle a le droit d'être petite. On n'a vraiment pas à s'inquiéter. La plupart des gens veulent bien grandir.

« Je ne le dirai à personne »

Je ne le dirai à personne.

Juré, craché,

comme tu le disais quand tu avais six ans.

Je ne l'ai pas dit quand tu avais quatre ans,

dix ans, quatorze ans, vingt ans.

Je ne l'ai pas dit quand tu avais trente ans, quarante ans.

Et je ne le dirai pas quand tu auras cinquante ans

et soixante ans et soixante-dix ans,

à moins que mon cerveau vieillissant

me fasse révéler le secret que je ne veux dire

à personne, jamais.

Même quand tu seras très grand et fort,

même quand tu seras très vieux et sage,

que tu auras contribué à la conquête de l'espace
et donné ton nom à une étoile,
même quand tu auras découvert comment guérir
la plus mystérieuse maladie au monde
et sauvé des millions de gens,
même quand tu auras écrit le livre qui révèle
l'ultime réponse au mystère de la vie
et résolu le théorème qui tourmente
les mathématiciens depuis des siècles,
même quand tu auras aimé et aimé encore,
partageant ton amour
avec ceux et celles qui souffrent,
je ne le dirai pas.

Je ne dirai pas que pour moi, tu es encore petit
et que dans mon cœur tu occupes exactement la même place
que lorsque je t'ai rencontré la première fois,
quand tu étais si petit
et le monde, si grand.

4

Composer avec la fragilité :

le bébé qui s'est étouffé

Je pense que je ne vous ai jamais parlé de Liam, qui se joint à notre groupe de jeu de temps en temps. Liam ne parle pas beaucoup, mais je peux vous dire que la dernière fois que nous l'avons vu, il avait toute une histoire à raconter. L'histoire était déjà terminée quand nous l'avons entendue, alors nous n'avons pas eu la chance d'en discuter avec lui et de l'aider. Mais je pense que ça lui a fait du bien d'en parler. Grand-maman affirme que ça aide les gens de parler de ce qu'ils vivent à leurs amis ou à leur famille. Pourtant, quand elle me garde, elle ne me laisse pas beaucoup parler à l'heure du dodo, après l'histoire et les berceuses. Elle dit toujours : « Ça suffit, Félix. Tu parleras de ça demain. »

Voici ce qui est arrivé : Liam et sa maman étaient à la maison avec leur petit bébé qui n'est plus si petit que ça parce qu'il peut ramper et se mettre debout et tomber tout seul. Mais ses parents le considèrent encore comme un petit bébé, ce qu'il est, bien sûr, comparé à Liam qui a maintenant deux ans et demi ou trois ans. Ce jour-là, une voisine est venue prendre un café avec la maman de Liam. Alors qu'elles discutaient, elles ont entendu un drôle de bruit. Elles ont vite réalisé que c'était le petit bébé qui faisait de drôles de bruits avec sa gorge et qu'il avait une drôle de couleur. Mais la situation n'avait rien de drôle. Le petit bébé avait marché à quatre pattes jusqu'à la salle familiale et avait trouvé un morceau de maïs soufflé sous le canapé; il avait essayé de le manger, mais il n'était pas capable de l'avaler. La maman de Liam a pris le bébé et elle s'est mise à crier sans arrêt : « Oh! mon Dieu! Oh! mon Dieu! » Mais le bébé ne savait toujours pas comment mastiquer le morceau de maïs soufflé. La voisine a alors pris le bébé des bras de la maman de Liam, elle l'a tourné à l'envers et le morceau de maïs soufflé est sorti, avec un reste de jus. Le bébé s'est aussitôt mis à pleurer, la maman de Liam et la voisine aussi. Après un bout de temps, Liam a fait de même, parce qu'il avait l'impression que c'était ce qu'il fallait faire.

Cette histoire n'est pas une histoire sur le maïs soufflé comme tel, et ce n'est pas fini. Mais je voudrais dire à ce moment-ci que je n'ai pas encore eu la chance de manger du maïs soufflé. Ma maman aime bien introduire dans mon alimentation un nouvel aliment à la fois, et apparemment elle a encore bien d'autres aliments à me faire connaître avant d'arriver au maïs soufflé. Mais je sais que le maïs soufflé sent extrêmement bon. Parfois, le soir, quand je suis couché, mes parents en font cuire et ils laissent les odeurs monter jusqu'à ma chambre pour me rappeler que je devrais être en train de dormir. Je vous raconte tout ça parce que je veux être absolument sûr que tout le monde comprenne que le maïs soufflé n'est pas nécessairement mauvais pour la gorge.

Après le souper de Liam, ce soir-là, son papa est rentré à la maison et il était très fâché. Liam s'en est rendu compte tout de suite parce que son papa ne lui a même pas dit bonjour en arrivant. Il est allé directement à la maman de Liam et lui a lancé : « Qu'est-ce que j'entends? On s'est parlé au téléphone cet après-midi et tu n'as même pas eu le courage de me dire que le bébé s'est pratiquement étouffé à mort! Si je n'avais pas rencontré la voisine en arrivant ici, je suppose que je n'en aurais jamais entendu parler. Je n'arrête pas de te répéter que la femme de ménage ne fait pas bien son travail. Tu aurais dû la renvoyer il y a des siècles, mais tu as toujours insisté pour la garder parce que tu dis que tu l'aimes, et regarde ce qui est arrivé! »

Le visage de la maman de Liam est devenu tout blanc et ses yeux, tout petits et vraiment sévères, et elle s'est mise à hurler : « Eh bien! si tu étais à la maison plus souvent, peut-être que tu pourrais vérifier sous les fauteuils pour voir si tout est aussi propre que tu le souhaites. Mais tout ce qui t'intéresse vraiment, c'est le travail, le travail, rien que le travail! » Puis elle s'est enfuie dans la salle de bain. Le papa de Liam a remis son manteau et il est sorti en claquant la porte si fort que ça a fait mal aux oreilles de Liam et aussi à son cœur. La maman de Liam est ensuite sortie de la salle de bain et lui a dit qu'il pouvait regarder un film. Il a choisi le plus long film qu'il avait, au cas où ses parents explosent de nouveau.

Quand le film est arrivé à la partie que Liam n'aime pas parce que les animaux attaquent le papa du petit lion, il a grimpé sur le sofa pour regarder par la fenêtre. Il a vu son papa faire les cent pas devant la maison. Après un bout de temps, son papa est rentré et il a dit à la maman de Liam : « Tu sais, j'ai eu si peur quand la voisine m'a dit que le bébé s'était étouffé que tout ce que j'avais envie de faire, c'était de trouver quelqu'un à blâmer. Je n'aurais pas dû faire ça. Je suis vraiment désolé. » La maman de Liam s'est mise à pleurer et elle a dit : « Quand tu as peur, tu m'en veux. Quand j'ai peur, je m'en veux. Je n'en peux plus. » Alors ses parents sont allés dans l'autre pièce pour parler de tout ça, comme ils aiment le faire après une explosion. Liam a pu regarder le film au complet et ça lui a fait du bien parce qu'il avait comme des bulles dans le ventre et qu'il commençait à avoir mal à la gorge. Après, son père l'a couché, mais pendant la nuit Liam a été attaqué par un gros camion rempli de maïs soufflé et sa maman a été obligée de le réveiller pour chasser le camion.

Nous voyions bien que Liam était encore un peu bouleversé par l'explosion, mais nous ne savions pas quoi lui dire. Même Martin ne savait pas quoi dire. Alors nous n'avons pas parlé, mais j'ai laissé Liam s'asseoir sur le coussin rouge que je garde toujours pour moi. J'ai dit au groupe que j'allais demander à Grand-maman ce que nous pouvions faire pour aider Liam et que je leur ferais un rapport. Je vous avoue que la semaine suivante, j'ai complètement oublié d'en reparler parce qu'un clown est venu à notre groupe de jeu pour faire des animaux avec des ballons.

Selon Grand-maman, quand quelqu'un raconte une histoire importante, comme une histoire d'explosion, la plupart du temps on n'a pas grand-chose à dire. On peut simplement rester là et écouter attentivement. Quand on fait ça, l'autre personne se sent mieux parce qu'on ne la critique pas. Grand-maman affirme que c'est un très bon moyen d'aider, même si on a l'impression de ne rien faire. Des petits gestes, comme laisser Liam s'asseoir sur mon coussin (même si je ne le lui ai laissé que deux minutes et demie avant de le reprendre), ça peut aussi aider.

Grand-maman connaît ça, les explosions, parce qu'elle travaillait avec des personnes qui explosaient régulièrement. Elle s'est rendu compte que souvent les explosions arrivent précisément avant que les gens fassent un changement important dans leur vie. C'est comme s'ils étaient en train de laisser aller toutes sortes de choses qu'ils n'ont plus besoin de faire. L'important, c'est que les gens apprennent quelque chose sur eux-mêmes et sur les autres après une explosion. Je pouvais comprendre ça, parce que le Prince Igor a déjà marché sur un volcan sans le faire exprès et il a appris qu'il ne fallait jamais s'approcher d'un volcan, en tout cas pas avant d'avoir trouvé son ourson en peluche.

Grand-maman m'a aussi expliqué que beaucoup de bonnes personnes ont tendance à s'en vouloir quand elles font une erreur, surtout si elles ont appris que tout ce qu'elles font doit être parfait et qu'il est très mauvais de se tromper. Pire encore, certaines bonnes personnes ont tendance à se sentir coupables pour des accidents ou des choses sur lesquelles elles n'ont aucun pouvoir. Alors il est inutile d'en vouloir aux bonnes personnes qui font une erreur ou qui ont eu un accident, car elles s'en veulent déjà. C'est un vrai gaspillage d'énergie, de temps et d'intelligence. Il faut que je me rappelle de ça et que je l'explique à Maman la prochaine fois que je ferai une erreur et que je lancerai par accident mon camion à l'autre bout de la pièce.

« Je me rappelle exactement ce qu'était ma vie »

Je me rappelle exactement ce qu'était ma vie
avant que tu sois là.
J'étais vivante et occupée à inventer
toutes sortes de choses
et à découvrir les mystères du monde.
Je bravais les obstacles et conquérais des démons,
je grandissais et j'apprenais sans cesse.
Ma vie était remplie d'espérance et de joie.

Je suis encore vivante et occupée,
je continue d'inventer des choses
et de découvrir des mystères.
Je continue de braver des obstacles

et de conquérir des démons,
de grandir et d'apprendre,
comme je le faisais
avant que tu sois là.
Ma vie est toujours remplie d'espérance et de joie.

Et pourtant, tout est si différent
maintenant que tu es là!
Pourquoi?
Parce que je sais,
même si le simple fait d'y penser m'est insupportable,
même si le ressentir m'est intolérable,
qu'il pourrait arriver
que tu ne sois plus là.

5

Faire communauté : l'enfant maltraité

La semaine dernière à la bibliothèque, Sophie était là avec sa mère et une grande fille qui avait vraiment l'air bizarre. Nous avons appris que la grande fille s'appelait Mélanie. Elle a sept ans, je pense, ou peut-être quarante-douze. Je ne m'en souviens pas exactement. Mélanie était assise derrière la ronde, et je voyais bien qu'elle n'était pas très intéressée à chanter avec nous. Elle restait là à se balancer et à se mâchouiller une couette de cheveux. Elle ne souriait pas, même quand nous avons chanté *Si tu aimes le soleil*. Pour tout vous dire, elle me faisait un peu peur, et j'ai décidé de ne pas trop m'approcher d'elle.

Sophie nous a dit que Mélanie n'habitait plus avec sa maman. Elle vit maintenant dans la maison de Sophie avec le papa, la maman et la grande sœur de Sophie, Sarah, et leur chien. (Je regrette de ne pas me souvenir du nom du chien. Tout ce que je sais, c'est qu'il ne s'appelle pas Pluto. Les chiens sont des gens importants et on devrait se rappeler leur nom, alors je m'engage à vous trouver cette information pour la prochaine fois.) Mélanie va habiter dans la maison de Sophie jusqu'à ce que la maman de Mélanie aille mieux. Quand j'ai entendu ça, j'ai pensé que sa maman était malade. Mais ce n'est pas le cas. Il paraît que sa maman a été une méchante maman et c'est pour ça que Mélanie a dû aller vivre ailleurs. Comme je n'ai encore jamais rencontré de méchants, j'étais un peu surpris d'apprendre que certains vivent tout près d'ici. J'avais peur aussi, parce que l'ourson en peluche du Prince Igor a été enlevé par des méchants et que la maman de Mélanie en faisait peut-être partie. Je ne sais pas vraiment à quoi ressemblent les méchants. Heureusement, mon ourson en peluche est en sécurité chez moi : il ne vient pas avec moi dans la voiture, sauf si nous faisons un long voyage pour aller visiter ma mamie, mon autre grand-mère, celle qui n'est pas Grand-maman.

Sophie nous a dit que le papa de Mélanie travaille sur un bateau dans un pays lointain. Ça m'intéressait, parce que c'est justement là que le Prince Igor est parti cette semaine. Peut-être qu'il va rencontrer le papa de Mélanie. Mais le papa de Mélanie ne reviendra plus vivre avec la maman de Mélanie, parce que là-bas, il a trouvé une autre maman. Quand elle a appris la nouvelle, la maman de Mélanie est devenue très malheureuse et elle s'est fâchée contre Mélanie, parce que Mélanie s'ennuyait de son papa et demandait sans cesse quand il allait revenir à la maison. Alors la maman de Mélanie est devenue une méchante maman et elle a commencé à lui faire mal. À ce moment-là, Mélanie allait encore à l'école, mais elle s'est mise à détester l'école et elle a même frappé des plus petits pendant la récréation. La maîtresse a appelé la maman de Mélanie et a découvert que celle-ci était une méchante maman et qu'elle avait un problème de boisson. C'est ainsi que Mélanie est allée vivre avec Sophie et sa famille. Je dois avouer que moi aussi, j'ai déjà eu un problème de boisson, mais c'est fini maintenant. Ma maman m'a aidé en arrêtant de me servir du jus ou du lait après le souper, ce qui m'aide à ne pas mouiller mon lit la nuit.

Ce jour-là, quand nous sommes partis de la bibliothèque, Maman a envoyé la main à Mélanie. Mélanie l'a regardée et n'a pas souri. Elle n'a même pas bougé. Alors ma maman m'a dit : « Félix, c'est la première fois que Mélanie participe à l'activité à la bibliothèque. Peut-être qu'elle a un peu peur de toutes ces personnes qu'elle ne connaît pas. Ce serait gentil de ta part de lui envoyer la main et de lui dire au revoir. » J'étais un peu surpris que ma maman me dise ça, étant donné qu'elle avait déjà envoyé la main à Mélanie et que ça n'avait pas marché. Alors j'ai fait signe à Mélanie avec mes deux mains pour être bien sûr qu'elle me voie. Mélanie m'a vu, elle a ri un petit peu et m'a salué du bout des doigts. Peut-être que ses mains lui font mal à cause de sa maman. Ma maman a ri et elle a dit qu'un beau garçon comme moi est capable de faire sourire n'importe quelle fille.

Grand-maman était très intéressée par cette histoire, parce qu'elle aime les histoires où des gens ont la chance de devenir meilleurs. Mais elle a ajouté quelque chose d'étonnant : « Peut-être que la maman de Mélanie n'est pas du tout une personne méchante. Peut-être que c'est une bonne personne qui agit comme une personne méchante parce qu'elle ne sait pas quoi faire d'autre. Parfois, les bonnes personnes font des choses méchantes, comme frapper quelqu'un, parce qu'elles ont l'impression que leur cœur et leur tête sont complètement brisés. Je ne pense pas qu'on puisse dire que la maman de Mélanie est une personne méchante. Peut-être devrait-on dire qu'elle appelle à l'aide. »

Je n'étais pas d'accord avec Grand-maman. Appeler à l'aide, je connais ça. Dans un de mes films, les enfants sont à la recherche d'un prince qui est prisonnier dans un cachot. Ils réussissent à le retrouver parce qu'il crie : « Aidez-moi... Aidez-moi... » Aussi, ma maman m'a appris à dire « Aide-moi » quand j'ai des problèmes avec mes jouets. J'ai dit à Grand-maman que la maman de Mélanie avait une façon bizarre d'appeler à l'aide. Grand-maman était d'accord — ça semble tellement plus simple de demander de l'aide, mais parfois les gens ne savent pas comment faire. Pour m'aider à comprendre, elle m'a rappelé qu'il m'est arrivé de lancer ma locomotive à l'autre bout de la pièce quand ma maman ne venait pas m'aider tout de suite à placer les rails. J'avoue que j'ai pu faire quelque chose comme ça une fois ou deux, un peu par accident, mais c'était quand j'étais petit. Je n'avais pas encore compris que les parents ont le droit d'être tranquilles quand ils parlent au téléphone.

Maintenant que nous nous comprenions mieux, Grand-maman m'a donné une autre information importante : dans chaque personne, il y a une partie bonne et une partie méchante. La partie bonne et la partie méchante se battent pour savoir qui des deux sera la plus forte. Ceux qu'on appelle des bonnes personnes ont souvent eu des gens pour aider leur bonne partie à devenir la plus forte. Souvent, les gens qu'on appelle méchants n'ont pas eu cette chance. Peut-être que la maman de Mélanie n'a pas eu assez de personnes pour l'aider. Grand-maman a dit que c'est important de former des communautés où les gens s'entraident. Elle a expliqué que mes parents donnent de l'aide quand ils laissent de la nourriture dans la boîte de la banque alimentaire à l'épicerie. Ils reçoivent de l'aide quand ils parlent avec d'autres parents et qu'ils trouvent avec eux des idées pour les aider à prendre soin de moi. Quand mes amis et moi discutons ensemble, nous aussi, nous formons une communauté. Quand ma maman m'a suggéré d'envoyer la main à Mélanie, elle reconnaissait que Mélanie avait besoin de savoir qu'elle fait partie d'une communauté. Lui dire bonjour va l'aider à savoir qu'elle n'est pas toute seule. Une communauté peut vous aider à mieux voir ce que vous voyez déjà, et elle peut vous aider à commencer à voir des choses que vous ne voyez pas encore mais qui vous aideraient si vous les voyiez.

Quand Grand-maman s'aventure à dire des choses compliquées comme celles-là, je commence à m'endormir, surtout si c'est l'heure du dodo. Cette discussion s'éternisait, et j'avais peur que nous n'ayons pas le temps de voir ce qui arrivait au Prince Igor. Il était pris au beau milieu du désert avec seulement un chameau. Ça ne fait pas une grosse communauté, ça! Alors nous avons arrêté notre discussion, mais Grand-maman a dit que nous allions y revenir un jour, parce que le problème du bien et du mal dans le monde n'a pas encore été résolu, même si elle y travaille depuis très, très longtemps.

« Envoie de l'amour à dix de tes amis »

Envoie de l'amour à dix de tes amis
qui à leur tour enverront de l'amour à dix de leurs amis,
qui eux aussi enverront de l'amour à dix de leurs amis.
En peu de temps,
tu commenceras à recevoir en retour
d'énormes quantités d'amour.

Ne brise pas cette chaîne.
Les gens qui l'ont brisée ont perdu
plusieurs choses et plusieurs personnes
qui leur étaient chères
et ils ont amèrement regretté d'avoir brisé cette chaîne.
Je répète : ***Ne brise pas cette chaîne.***

J'ai envoyé de l'amour à tous mes amis
et même à des gens que je connaissais à peine
parce que l'amour doit circuler sans cesse.
Et j'ai reçu d'énormes quantités d'amour,
mais pas de toi, mon amie, mon amante, ma conjointe.
Tu m'as écrit que tu appartiens désormais
à une autre chaîne d'amour,
de laquelle je suis exclu.

Je n'ai pas brisé la chaîne d'amour,
et pourtant je t'ai perdue.
Je me suis perdu aussi
et je me suis mis à tourner sans cesse

partie des bonnes manières, ne pas frapper sur la table avec sa fourchette n'est pas une règle qui intéresse particulièrement les petits enfants, pour des raisons évidentes. Disons que je ne ferais pas d'effort particulier pour me rappeler ce genre de chose.

Mais il y a une chose dont je vais me souvenir, même quand je serai aussi vieux que Grand-maman : c'est la grosse crise que Martin a faite dans la salle d'activités. Je pensais que j'étais capable de faire des crises dignes de ce nom — Maman dit même que ce sont de « grosses » crises —, mais Martin a mis au point des techniques que je n'aurais jamais pu imaginer. (Martin est notre ami qui a deux papas, deux frères et deux chambres, et donc qui en sait deux fois plus que nous sur l'éducation des enfants. Je l'admire beaucoup, même si dans la ronde je m'assure que ma maman est toujours assise entre lui et moi.) Tout a commencé quand la dame de la bibliothèque nous a invités à prendre un maracas dans le gros panier pour la chanson *Si tu aimes le soleil*. Martin, qui aime bien avoir les choses en double, parce que c'est comme ça que ça se fait dans sa famille, a décidé qu'il voulait avoir deux maracas de chacune des couleurs. Comme il n'y avait pas assez de maracas pour satisfaire son désir, il a pris celui d'Ahn-Lin sans même lui dire « s'il te plaît ». Pour vous dire toute la vérité — même si Grand-maman dit que c'est très rare qu'il y ait « toute la vérité » —, si Martin avait dit « s'il te plaît », ça aurait vraiment ressemblé à un très gros « sinon... » La maman de Martin lui a demandé de redonner le maracas à Ahn-Lin et de s'excuser. Et ça, ça ne faisait pas du tout partie des projets de Martin.

Le reste s'est déroulé comme une grosse explosion, sans la fumée mais avec encore plus de bruit. Tout est allé très vite, alors c'est difficile de décrire ce qui s'est passé exactement. Mais je peux vous dire qu'il y a eu beaucoup de coups de pied un peu partout, y compris un sur la jambe de la maman de Martin. Martin a essayé de mordre, il s'est roulé sur le plancher, il a lancé une chaussure et s'est mis à hurler. Hurler, c'est comme crier, sauf qu'on utilise tout son corps pour le faire. Hurler, c'est majeur et ça peut même faire peur à celui ou celle qui hurle. Il m'est arrivé de hurler seulement une fois ou deux, mais je me rappelle combien j'étais fatigué après.

Tout le monde était fasciné par l'explosion, même l'éducatrice de la bibliothèque qui a oublié de nous faire chanter *Si tu aimes le soleil*. J'ai pris le coussin rouge sur lequel je m'assois habituellement et je me suis serré contre ma maman. J'avais besoin de me serrer un peu parce que les vibrations de l'explosion avaient fait apparaître comme des bulles dans mon ventre. Et puis tout à coup, nous avons vu la maman de Martin devenir très grande. Elle a ramassé Martin, qui donnait encore des coups de pied, et elle l'a sorti de la salle. La dame de la bibliothèque nous a fait chanter la chanson de l'araignée qui monte la gouttière. Elle a bien vu que personne n'était d'humeur à chanter *Si tu aimes le soleil*. Une araignée qui monte et descend faisait mieux l'affaire. J'ai pris le coussin de Martin pour le garder pour lui, et aussi parce qu'un coussin supplémentaire est assez pratique quand on a des bulles dans le ventre. Mais Martin n'est pas revenu dans le groupe ce jour-là.

Grand-maman était très intéressée par cette histoire parce qu'elle a travaillé avec des gens qui explosaient souvent. Elle m'a expliqué que notre vie est faite de beaucoup d'histoires qui se déroulent à longueur de jour. Par exemple, quand je me brosse les dents le soir, je suis au beau milieu d'une histoire intitulée « je me prépare à aller me coucher ». Et quand je prends tout mon temps pour mettre mes bottes, je suis au milieu d'une histoire qui s'appelle « je me prépare pour aller jouer dehors parce que c'est bon pour ma santé ». Quand moi, je suis au milieu d'une histoire, toutes les autres personnes sont elles aussi au milieu d'une histoire. Toutes les histoires sont différentes. Cette première explication était facile à comprendre pour moi à cause du Prince Igor, qui est toujours au milieu d'une histoire. C'est bon de savoir que l'histoire ne finira jamais, même quand il aura retrouvé son ourson en peluche. Soyez rassurés : le Prince Igor *va* retrouver son ourson en peluche. C'est seulement une question de temps et de voyages.

La suite de l'explication est un peu plus difficile à comprendre, alors je vais vous la donner très lentement. Il paraît que les histoires des gens entrent en collision les unes avec les autres tout au long de la journée, partout dans le monde. Parfois, la collision se fait tout doucement, c'est une jolie collision, alors les gens disent : « Oh! tu es là. Je suis heureux d'être entré en collision avec toi. » D'autres histoires entrent en collision plus fortement, mais ce n'est pas grave. Les gens disent : « Oh! tu es là. Je suis désolé d'être entré en collision un peu fort avec toi. Si jamais nous entrons de nouveau en collision, apprenons à le faire plus doucement. » Et puis il y a aussi des histoires qui entrent en collision et qui se font mal. Les gens disent : « Oh! tu es là. Tu n'es pas à ta place ici. Je vais devoir réagir violemment pour te faire comprendre que tu ne dois plus jamais entrer en collision avec moi. » Et là, ça donne une explosion.

Grand-maman m'a dit que même les choses qui ne sont pas des personnes semblent avoir leur propre histoire. Par exemple, les mains de Grand-maman lui font mal, parce qu'elle s'en est servie très souvent pour faire des choses agréables; alors quand elle essaie d'ouvrir un nouveau pot de beurre d'arachide, l'histoire de ses mains entre en collision avec celle du pot de beurre d'arachide qui veut rester fermé pour des raisons d'hygiène. S'il vous plaît, ne me demandez pas ce que veut dire « pour des raisons d'hygiène ». Je n'en ai pas la moindre idée. Mais je comprends bien que les choses ont des histoires qui entrent en collision avec mes histoires. À mon âge, la vie est remplie de choses comme la télévision, les boîtes de céréales, les bottes d'hiver et des commutateurs placés trop haut, qui ont chacune leurs histoires qui entrent en collision avec les miennes. Elles sont partout, ces histoires.

Grand-maman dit que nous ne savons pas quelle était l'histoire de Martin au moment de l'explosion. Peut-être qu'il ne la connaissait pas lui non plus, étant donné que nous ne pouvons pas toujours suivre toutes nos histoires. Ce que nous savons, c'est que Martin était bel et bien au milieu d'une histoire et que l'histoire n'était pas une histoire d'explosion mais l'histoire d'une autre chose que Martin croyait être bonne pour lui. Peut-être que son histoire était qu'il voulait faire l'expérience de chanter *Si tu aimes le soleil* avec beaucoup de maracas et que cette histoire est entrée en collision avec celle d'Ahn-Lin qui, elle, avait enfin réussi à obtenir un maracas violet. L'histoire de Martin est certainement aussi entrée en collision avec l'histoire de sa maman, qui essayait de lui apprendre à faire attention aux autres.

Grand-maman a continué en disant que la vie est faite d'histoires qui rebondissent les unes sur les autres, et que c'est ça qui rend la vie si intéressante. J'en ai profité pour suggérer qu'elle me raconte une autre partie de l'histoire du Prince Igor. Eh bien! vous ne me croirez peut-être pas, mais l'histoire du Prince Igor qui voulait entrer dans le château du sultan pour ramener son ourson en peluche est entrée en collision avec l'histoire du sultan. Celui-ci voulait garder l'ourson en peluche parce qu'il n'avait jamais eu d'ourson bien à lui. Il possédait seulement un chameau en peluche et, à cause des bosses, donner un câlin à un chameau en peluche ne soulage pas autant quand on a des bulles dans le ventre.

« Je traversais ma vie »

Je traversais ma vie,
marchant sur ma route,
regardant droit devant moi,
le regard fixé sur mon avenir.
Tu traversais ta vie,
marchant sur ta route,
regardant droit devant toi,
le regard fixé sur ton avenir.

Et puis tout à coup, nous sommes entrés en collision.
« Je suis désolé, je n'ai pas fait exprès... »
Puis rapidement nous avons détourné les yeux
pour continuer à marcher chacun
vers ce qui nous semblait être notre avenir.

Mais une fois encore, nous sommes entrés en collision.

« Je suis désolé, je n'ai pas fait exprès... »

Cent fois nous sommes entrés en collision
jusqu'à ce que finalement l'un de nous deux,
j'oublie lequel,
ou peut-être était-ce les deux,
dise :
« En fait, je ne suis pas désolé du tout. J'aime ça. »
Et l'autre, ou peut-être était-ce les deux, a dit :
« Pourquoi ne pas marcher dans la même direction,
les yeux fixés sur un même avenir?
Ainsi, nous ne risquons plus d'entrer en collision. »

Depuis ce jour, nous avons poursuivi la route,
marchant dans la même direction,
les yeux fixés sur un même avenir.
Et pourtant nous continuons d'entrer en collision
dans la joie et la souffrance, la colère et le pardon,
la peur et la confiance, la guerre et la paix.
Mais jamais plus nous n'avons dit :
« Je suis désolé d'être entré en collision avec toi. »

7

Tolérer l'inconnu : les phobies et les peurs

Vous avez peut-être entendu dire que je prends des cours de natation au centre communautaire. Je suis ces cours-là à cause d'un petit problème que j'ai eu l'été dernier. Vous savez que les jeunes enfants prennent assez souvent leur bain. Des fois, leurs parents les trouvent un peu sales, comme si c'était honteux d'avoir un petit peu de boue sur les jambes. Des fois, leurs parents ont l'impression qu'un bain chaud va les calmer. En tout cas, ce soir-là, ma maman m'avait fortement invité à me calmer dans le bain. À un moment donné, même si ma maman me surveillait comme elle le fait toujours quand je suis dans la baignoire, je voulais montrer que je n'étais pas encore complètement calmé, alors j'ai vidé mon petit seau d'eau sur le plancher.

Ma maman a dû penser que j'étais en danger, puisqu'elle m'a immédiatement sorti de la baignoire, sans même me demander la permission. Cela a entraîné ce que je décrirais comme une crise moyenne. Apparemment, la technique du bain chaud pour calmer ne fonctionne pas toujours très bien. Mon papa est monté prendre la relève et ma maman est descendue se calmer en prenant une tasse de thé.

Plus tard, quand ma maman a été complètement calmée, elle m'a lu une histoire, elle m'a chanté des berceuses et elle m'a dit qu'elle m'aimait, ce qui est toujours bon à entendre, surtout après un incident impliquant un plancher et de l'eau. Ensuite, elle m'a donné mon ourson en peluche pour que je me sente bien en sécurité pendant la nuit et elle est descendue passer un moment tranquille avec mon papa. J'ai entendu alors mon papa dire : « Tu sais, on se demande comment les parents font pour se retenir de jeter le bébé avec l'eau du bain! C'est vraiment tentant, des fois! »

Ce soir-là, pendant cette période bizarre où l'on n'est pas encore endormi mais pas tout à fait éveillé non plus, mon corps s'est mis à imaginer que mes orteils disparaissaient dans le trou avec l'eau du bain et que je n'étais pas capable de les faire remonter. J'étais pris dans la baignoire pour toujours, même si mes parents ne sont pas du genre à jeter les bébés avec l'eau du bain. Mon ourson en peluche était probablement déjà endormi, parce qu'il ne s'en est pas mêlé du tout. Le lendemain, j'ai complètement oublié tout ça parce que, à la garderie, j'ai été occupé à discuter de camions de pompier et de machinerie lourde avec un nouveau garçon qui est venu équipé d'un tracteur jaune qui faisait des bruits très réalistes. Mais le soir, quand mon papa m'a fait monter pour le bain, tout mon corps a été attaqué par l'idée de mes orteils disparaissant dans le trou de la baignoire. De grosses bulles sont apparues dans mon ventre et mes jambes, et mes bras se sont mis à faire mal. Je ne me sentais pas bien du tout. J'ai commencé à pleurer et à dire que je ne voulais pas aller dans le bain. Mon papa a essayé toutes sortes de choses pour me convaincre, mais je ne pouvais vraiment pas. Il m'a donc seulement lavé avec une débarbouillette, même si la quantité de boue que j'avais accumulée ce jour-là était assez impressionnante.

Le lendemain soir, juste au moment de monter pour me préparer pour le dodo, l'idée de mes orteils disparaissant dans le trou est revenue et a attaqué mon corps. Je me suis alors remis à pleurer et j'ai refusé d'aller dans le bain. Ma maman, qui est une personne très sage, sait qu'il se passe parfois des choses qu'elle ne comprend pas — elle dit que ça lui arrive tout le temps. Elle ne s'énervait donc pas avec ce qui se passait. Une fois encore, c'est la débarbouillette qui s'est chargée de me laver.

Cela a duré plusieurs jours, si bien que mes parents commençaient à trouver que c'était un problème, parce que les bains peuvent être très pratiques. Je dois dire que ça commençait à être un problème pour moi aussi, parce qu'il y a des jouets avec lesquels je peux jouer seulement dans le bain. Mais l'idée de mes orteils disparaissant dans le trou du bain continuait d'attaquer mon corps dès que j'approchais de la salle de bain. Mon papa et ma maman avaient compris que j'avais peur de quelque chose. Probablement de l'eau, étant donné que c'est l'ingrédient principal dans un bain. Ils ont donc décidé de m'inscrire à un cours de natation. La piscine au centre communautaire est immense, au moins quarante-douze fois plus grande que mon bain, mais je n'avais pas peur du tout, parce qu'il n'y a pas de trou au fond de la piscine. L'idée de mes orteils disparaissant dans le trou reste donc à la maison quand nous allons à la piscine.

Les cours de natation sont une expérience très intéressante. On nous propose des jeux super avec beaucoup de jouets. J'ai énormément de plaisir et je me suis fait plusieurs amis. Une fois bien lavés et habillés après le cours, nous avons le temps de parler en attendant que notre maman ait fini de discuter avec les autres mamans. Ça me permet de découvrir que le corps des autres enfants peut aussi être attaqué par des idées. Je pense que Grand-maman appellerait ça un phénomène universel.

Grégoire a terriblement peur de l'ascenseur du centre communautaire. Voici l'idée qui attaque son corps : les portes de l'ascenseur ne s'ouvrent plus et les lumières s'éteignent. On sait tous que la noirceur n'est pas très rassurante, même quand les lumières sont allumées. Je trouve ça bizarre, parce que moi, j'adore les ascenseurs. Mes parents me laissent conduire chaque fois que nous en prenons un. Ils se sentent en sécurité quand je suis aux commandes.

Joshua a peur de se faire couper les cheveux, à cause de la cape en plastique. Voici l'idée qui attaque son corps chez le coiffeur : il se trouve dans un environnement rempli d'étrangers avec beaucoup de ciseaux qui traînent partout et s'il avait besoin de se défendre, il ne pourrait pas sortir de sous la cape en plastique. Joshua sait que les ciseaux peuvent être dangereux à cause de la fois où il a exploré le panier à couture de sa mère. Il n'a pas eu besoin d'en dire plus. Qui n'a jamais fouillé dans le panier à couture de sa mère? L'idée qui attaque Joshua, celle de la cape en plastique du coiffeur, ne ferait pas apparaître des bulles dans mon ventre. Je ne l'ai pas dit à Joshua parce que je n'aime pas me vanter, mais je me sens très confiant quand je suis chez le coiffeur. Ma maman regarde autour d'elle avec un grand sourire sur les lèvres, comme si elle voulait faire savoir à tout le monde qu'elle a le plus beau garçon du monde entier. Ma maman est tellement fière de moi! Et je dois ajouter qu'elle a bien raison.

Grand-maman avait beaucoup de choses à dire à propos des peurs. J'ai l'impression qu'elle a dû avoir, à un moment dans sa vie, une idée qui a attaqué son corps, parce qu'elle connaît tout ce qu'il y a à savoir sur le sujet. Elle m'a expliqué que souvent les idées attaquent le corps des enfants parce qu'ils sont petits. Les choses peuvent donc leur paraître trop grandes et parfois dangereuses. Tout le monde, les enfants, les grandes personnes, qu'on appelle des adultes, et même les gens très vieux comme Grand-maman, essaient de comprendre ce qui leur arrive dans la vie. Ils inventent alors des histoires pour les aider à faire cela. Ces histoires s'appellent des idées. Parfois, leurs idées les aident à être bien. D'autres fois, leurs idées les font se sentir malheureux et mal à l'aise. Le problème avec les idées, c'est que les gens pensent parfois que leur idée la plus récente sera leur dernière. Et ils oublient qu'ils peuvent en créer d'autres plus intéressantes pour eux.

Ce qui est bizarre avec les idées qui font peur, c'est que c'est le corps de la personne qui est le premier à en être conscient. Quand j'ai comme des bulles dans le ventre et que mes bras et mes jambes me font mal, c'est parce que mon corps croit qu'il y a un danger. Devant le danger, mon corps a une réaction qu'on appelle « combattre ou s'enfuir pour disparaître ». Je n'en sais pas encore beaucoup au sujet des combats, n'ayant pas encore eu la permission de me battre, mais les disparitions, je connais ça, parce que ma maman est contrôleuse aérienne. Quand ses amis viennent à la maison, ils racontent l'histoire du vol quarante-douze qui un jour a disparu des écrans. J'ai compris que dans ce cas-là, disparaître n'était pas du tout une bonne chose.

Grand-maman m'a dit qu'habituellement, ce n'est pas utile d'essayer de faire disparaître une idée, même une idée terrifiante. Ce serait insultant pour l'idée, et les idées qui sont insultées aiment revenir et se battre pour revendiquer le droit d'être là. D'après Grand-maman, il est préférable de simplement placer l'idée terrifiante au milieu d'autres idées. Ainsi, cette idée ne prendra pas toute la place en dedans, et les autres idées vont aider à calmer les bulles dans le ventre. Alors Grand-maman m'a aidé à inventer des idées nouvelles pour placer autour de celle des orteils qui disparaissent dans le trou du bain. Ma préférée est celle du trou du bain qui me chatouille les orteils et me fait rire.

Après cette conversation, nous avons retrouvé le Prince Igor, qui venait tout juste de rencontrer un crocodile géant affamé. Évidemment, le Prince Igor a commencé à avoir comme des bulles dans le ventre, mais il a été capable d'inventer beaucoup d'autres idées rassurantes pour placer autour de celle du crocodile féroce. L'idée qui a fonctionné le mieux pour lui est qu'il pourrait simplement courir le plus vite possible jusqu'à ce qu'il se retrouve en sécurité dans la grande caverne. Tout le monde sait que les crocodiles ont peur et du noir et des fantômes, alors le Prince Igor était assuré que le crocodile n'oserait jamais le poursuivre jusque dans la caverne.

« Tu me dis : Maman »

Tu me dis : Maman,
il y a un fantôme vert dehors,
près de la fenêtre du salon.

Je te dis : Mon enfant,
les fantômes n'existent pas.
Il ne peut donc pas y avoir de fantômes verts dehors,
près de la fenêtre du salon.

Tu me dis : Maman,
si cette chose dehors, près de la fenêtre du salon,
n'est pas un fantôme vert, c'est un gros méchant loup.

Je te dis : Mon enfant,
la plupart des loups ne sont pas méchants,
et même s'ils l'étaient, il n'y en a pas près d'ici.

Tu me dis : Maman,
si cette chose près de la fenêtre du salon
n'est ni un fantôme vert ni un gros méchant loup,
c'est certainement une grosse fournaise sombre
comme celle qui vit dans le noir, au sous-sol,
et qui essaie de monter dans la maison, la nuit.

Je te dis : Mon enfant,
les fournaises ne peuvent pas monter les marches

et elles sont très utiles, surtout en hiver.
Elles ne sont pas du tout dangereuses.

Tu me dis : Maman,
comment sais-tu toutes ces choses?
Je te dis : Mon enfant,
c'est parce que je suis une maman
et que les mamans n'ont pas du tout peur des fantômes,
des loups, des fournaises ou du noir.
Les mamans sont grandes et fortes et courageuses
et elles n'ont jamais peur...

... à la condition que leur maman soit encore là tout près!

8

Aller à l'intérieur :

les temps de réflexion

Il faut que je vous raconte ce qui est arrivé à Antoine la semaine dernière. Vous ne croirez peut-être pas cette histoire, mais elle est absolument vraie. Grand-maman dit que la vérité absolue existe rarement, mais c'est le cas ici : cette histoire est absolument vraie. J'éprouve le besoin de décrire en détail les événements qui se sont produits, au nom de tous les enfants qu'on a déjà envoyés prendre un « temps de réflexion ». Peut-être allez-vous penser que j'y vais un peu fort, mais il faut bien que quelqu'un dise vraiment ce qu'il en est.

Voici donc l'histoire : Antoine a été obligé de prendre un temps de réflexion *en plein milieu d'un goûter d'anniversaire*. Un goûter d'anniversaire, même si ce n'est pas le mien, devrait être un événement agréable et, par définition, les événements agréables sont incompatibles avec les temps de réflexion. Du moins, c'est ce que croyait Antoine. Il s'est donc mis à participer à la fête sans s'inquiéter d'un éventuel temps de réflexion. Laissez-moi vous dire qu'il a appris une dure leçon de vie : les temps de réflexion ne prennent jamais de vacances.

Mes parents et moi, et plusieurs autres grandes personnes et beaucoup d'enfants étions au deuxième goûter d'anniversaire de Karine. Karine a quatre ans, mais c'est seulement son deuxième goûter d'anniversaire parce que, quand elle a eu un an et trois ans, elle était à l'hôpital. Ma maman m'a expliqué qu'on a le droit de faire des goûters d'anniversaire à l'hôpital, mais Karine n'en a pas eu parce qu'elle était trop malade pour souffler les bougies de son gâteau. Elle n'a même pas eu de gâteau, parce qu'elle était trop faible pour manger quoi que ce soit. Alors cette année, on a organisé un très, très gros goûter et tout le monde était très heureux.

Karine est née, comme ça arrive à un moment ou l'autre à tous les enfants, mais elle est née avec trop de trous dans son cœur, alors que la plupart des enfants naissent avec exactement le bon nombre de trous. Avoir trop de trous dans le cœur, ça peut causer des problèmes graves à un enfant : en particulier la peau bleue. J'ai un livre qui décrit les habitants de pays éloignés, là où le Prince Igor est parti à la recherche de son ourson en peluche. On y voit que les enfants ont la peau de différentes couleurs, même si chaque enfant n'a droit qu'à une seule couleur pendant toute sa vie. Ma peau à moi est rose, sauf quand je fais une crise : alors ma peau devient rouge pour montrer la force de l'explosion. J'ai remarqué que personne dans mon livre n'a la peau bleue. La peau bleue est réservée aux enfants avec trop de trous dans le cœur. Personne ne veut avoir la peau bleue, parce qu'alors il faut aller à l'hôpital, même si c'est votre anniversaire.

La fête battait son plein. Ça, c'est une expression qui veut dire que vous avez autant de plaisir qu'après avoir mangé votre dessert préféré et que vous avez le ventre bien plein. Ensuite est venu le temps des cadeaux, et c'est à ce moment-là qu'Antoine a commencé à avoir des problèmes. Antoine vient d'avoir deux ans, alors il y a beaucoup de choses qu'il ne comprend pas sur la vie en général et sur les goûters d'anniversaire en particulier. Il ne comprenait pas qu'il devait donner à Karine le cadeau qu'il lui avait apporté. Il voulait naturellement le garder pour lui tout seul. Il faut que vous compreniez que le cadeau n'était pas quelque chose qu'il aurait choisi pour lui-même. Il n'a rien à faire d'un livre d'images où l'on voit des princesses avec des robes roses et des brillants sur les ongles qui se regardent tout le temps dans un miroir pour essayer de trouver des grenouilles. Antoine préfère des histoires vraies comme celle du Prince Igor. Des fois, je lui raconte l'histoire du Prince Igor, mais je dois la changer un peu parce qu'Antoine a peur des crocodiles, des déserts, de certains chameaux et des sultans. Le fait de ne pas donner le livre à Karine était une façon pour Antoine de dire : « Quand je dis que quelque chose est à MOI, c'est à moi! »

Comme il est encore très jeune, Antoine n'a découvert que récemment la joie de donner des coups de pied sur des choses — ou, mieux encore, sur des gens — quand on est malheureux dans la vie. Il a donc essayé son nouveau coup de pied sur la jambe de sa mère pour lui faire comprendre qu'il ne voulait pas donner le livre à Karine. Il avait tenté de dire seulement « Veux pas », mais habituellement les parents n'acceptent pas les « Veux pas » quand ils vous demandent d'être gentil. Alors même si nous étions en plein goûter d'anniversaire, le papa d'Antoine l'a pris à part et lui a infligé un très long temps de réflexion. Par définition, les temps de réflexion sont longs, mais ils le sont encore plus quand vous n'avez que deux ans et que vous ne savez pas compter. Vos parents vont vous informer de la durée d'un temps de réflexion pour vous rassurer qu'ils savent ce qu'ils font, mais cela ne vous aide pas vraiment si vous ne pouvez pas compter. En ce qui vous concerne, vos parents pourraient bien être pris entre deux nombres jusqu'à la fin de la fête, et alors vous aurez manqué le gâteau et les ballons. Les choses peuvent être très compliquées quand on vient d'avoir deux ans. Je suis heureux d'avoir passé ce stade.

Antoine a finalement été libéré de son temps de réflexion, grâce au fait que sa mère est comptable et donc qu'elle connaît bien ses chiffres. Mais il a quand même été obligé de donner le cadeau à Karine. Il a décidé de le faire, mais je voyais bien que ce n'était pas parce qu'il avait découvert les joies du partage. C'est qu'il venait de découvrir qu'on peut recevoir un temps de réflexion même pendant un goûter d'anniversaire : il ne voulait pas risquer d'en subir un autre. Karine a été très gentille avec Antoine; elle lui a même proposé de regarder les images du livre avec elle.

J'ai été un peu surpris de la réaction de Grand-maman quand je lui ai raconté cette histoire. Je m'attendais à ce qu'elle s'indigne de l'usage des temps de réflexion pendant les goûters d'anniversaire, car elle s'oppose à toute forme de torture. Au contraire, elle perçoit les temps de réflexion comme très utiles pour aider les enfants à entrer en eux-mêmes. Selon elle, c'est précisément à quoi sert un temps de réflexion. C'est une façon pour les parents d'aider leurs enfants à développer une vie intérieure, ce qui leur sera utile une fois devenus grands. Les grandes personnes qui sont autonomes, créatives et généreuses prennent souvent un temps de réflexion pour examiner comment elles se sentent et se demander comment elles veulent agir. Ça s'appelle « être à l'écoute de sa vie intérieure ». La plupart des grandes personnes n'auront pas besoin d'aller dans leur chambre si elles s'assurent de prendre suffisamment de temps pour entrer en elles-mêmes. Mais il peut arriver qu'on oblige certaines personnes à prendre un temps de réflexion. En effet, ce que Grand-maman appelle la « société » leur en donnera un si elles ne se comportent pas bien. Les prisons sont un bon exemple d'endroits où l'on envoie les grandes personnes en réflexion. Je ne recommande pas les prisons parce qu'il faudrait que quelqu'un compte jusqu'à quarante-douze millions, mais personne n'en est capable, alors vous risquez d'être pris là pour toujours. Je sais ces choses parce que le Prince Igor a failli être jeté en prison par les méchants, même s'il s'était bien comporté. C'est son chameau qui l'a sauvé.

Les temps de réflexion peuvent faire très peur à un enfant, même si ceux qui vous le donnent connaissent bien leurs chiffres. Chaque fois qu'on m'envoie en réflexion, j'ai comme des bulles dans mon ventre, surtout si je ne comprends pas vraiment pourquoi on m'y envoie. Je suis bien capable de faire trois ou quatre choses en même temps, chacune de ces choses étant susceptible de mériter un temps de réflexion. Des fois, je ne sais pas si je suis forcé de réfléchir parce que j'ai refusé d'aider maman à me mettre mon ensemble de neige, ou parce que j'ai lancé mon livre de bibliothèque, ou parce que j'ai marché sur la boîte de mon casse-tête et que je l'ai un petit peu écrasée. Et même quand ma maman ou mon papa me disent pourquoi ils m'envoient en réflexion, mon ventre ne comprend pas toujours.

Grand-maman dit que c'est une réaction normale, parce qu'à mon âge je dois apprendre deux choses qui ne vont pas nécessairement ensemble. Premièrement, j'apprends petit à petit que je suis un être différent de mes parents; pour ça, il faut que je fasse l'expérience de dire « non » très souvent et, à l'occasion, que j'affirme haut et fort que c'est moi qui décide. Deuxièmement, je dois apprendre à écouter mes parents, parce qu'ils sont plus grands et plus sages que moi.

Avoir comme des bulles dans le ventre est une réaction normale quand il faut aller dans deux directions en même temps. Tout le monde a le ventre qui réagit comme ça, même quand on est devenu une grande personne et qu'on n'a plus de ventre, seulement un estomac.

Grand-maman m'a suggéré, lorsque je suis en réflexion, de fermer mes yeux et de regarder toutes sortes de belles couleurs ou même de converser avec le chien qui est mon ami même si personne ne peut le voir à part moi. Cela peut m'aider à entrer à l'intérieur de moi, et mon ventre va l'apprécier. Ce qui aide aussi après un temps de réflexion, c'est que maman et papa oublient ce que j'ai fait pour mériter d'aller en réflexion et agissent de façon à ce que je voie qu'ils m'aiment, comme d'habitude. Les enfants dont les parents ont la mémoire courte sont très chanceux.

Grand-maman dit qu'il serait bon pour les parents de partager à l'occasion les temps de réflexion avec leurs enfants. Les parents aussi ont besoin de regarder à l'intérieur d'eux-mêmes, pour voir les belles couleurs ou parler avec leur animal imaginaire, mais ils manquent souvent de temps pour s'arrêter et réfléchir, ou se détendre. Partager les temps de réflexion, ça ferait du bien au ventre de tout le monde.

« *Tu joues tranquillement avec le casse-tête de dinosaures* »

Tu joues tranquillement avec le casse-tête de dinosaures.
Jusqu'à maintenant, aujourd'hui,
pas de temps de réflexion ou de temps de retrait.
Je te regarde jouer si paisiblement
et je te dis en silence ce que jamais je ne dirais tout haut :
chaque fois que je t'envoie en réflexion,
j'inspire profondément et je m'envoie
dans un coin de mon cœur,
et là, je rêve à toi.
Je me dis : après tout, cet enfant et moi
avons tous deux contribué

à ce qui s'est passé.

Moi aussi, je le mérite, ce temps de réflexion.

Alors je rêve à un avenir lointain :
assise dans mon fauteuil roulant
au milieu du grand amphithéâtre,
je t'applaudis de toutes mes forces
alors que tu t'avances pour recevoir
le prix Nobel de la Paix.
Je fais des rêves plus proches :
ton nouveau livre,
réponse finale au mystère de l'éducation des enfants,
est lancé ce soir,
et tu remercies publiquement tes parents pour leur patience.

Je fais des rêves encore plus proches :
dans un cadre doré, tu me remets ta photo de graduation
sur laquelle tu as fait inscrire :
« Merci pour toute ton aide et ton amour. »
Je rêve des rêves plus proches encore :
le directeur de ton école primaire me dit :
« Cet enfant est tellement intelligent et rempli de talents!
Merci d'avoir choisi notre école. »
Plus proche encore, je rêve
que l'an prochain, après six mois en maternelle,
ton enseignante me dit :
« Quel enfant adorable :
poli, créatif, et pourtant discipliné,

qui aime partager avec les autres enfants
et manger des légumes pour sa collation. »

Alors, mon cher enfant,
pourquoi collabores-tu à ce point aujourd'hui?
J'ai besoin de mon temps de réflexion et de rêve!

9

Diviser, c'est parfois additionner :

le partage

Maintenant que je vous ai parlé du jour où Antoine s'est fait administrer un temps de réflexion au goûter d'anniversaire de Karine, je dois aborder le sujet du partage. En effet, c'est parce que ses parents lui avaient demandé de partager qu'Antoine a eu des problèmes. Antoine n'est pas le seul enfant à avoir eu des problèmes avec les lois du partage. Je n'ai jamais rencontré d'enfant qui n'ait pas eu au moins un désaccord mineur avec ses parents à ce sujet.

Antoine ne vient pas à la bibliothèque, car il aime mieux les jouets que les livres, et nous devons respecter son choix personnel. Mais il y a beaucoup d'autres enfants qui viennent à la rencontre chaque semaine, où la dame nous lit des histoires et nous enseigne des chansons intéressantes. Vous savez sans doute que vous n'avez pas à partager avec les autres s'il n'y a personne autour. Or, dans une bibliothèque, il y a beaucoup de personnes, et c'est là que les problèmes commencent, comme c'est arrivé la semaine passée.

Il faut que j'explique d'abord que le rouge est ma couleur préférée, alors je dois m'assurer d'obtenir le coussin rouge pour m'asseoir dans la ronde. Il y a plusieurs coussins rouges, mais un seul que je préfère, alors je veux que les autres enfants sachent qu'il est à moi. Voici comment je m'y prends : je vais rapidement le prendre et je l'apporte à ma place dans la ronde. Mais une fois que j'ai fait ça, j'ai un petit problème : il faut que je reste assis, au cas où Cynthia décide qu'elle veut mon coussin. Elle aussi aime le rouge, même si j'ai essayé de la convaincre qu'elle devrait préférer le jaune. Cynthia est nouvelle dans le groupe, alors elle ne comprend pas encore toutes les lois que je voudrais qu'elle observe.

Ma maman m'a expliqué que la bibliothèque est un très grand lieu de partage. Ils ont quarante-douze mille livres et films qui doivent être partagés par quarante-douze milliards de personnes, y compris beaucoup d'enfants. Je ne parle pas encore couramment la langue des chiffres, alors vous devrez vous-mêmes calculer la quantité de partage qui doit être fait. Ce que j'essaie de vous dire, c'est qu'il se peut que vous n'ayez pas le coussin, le livre ou le film que vous désirez. Et si vous ne les avez pas, il se peut que vous n'aimiez pas ça.

Avant d'aller dans la salle d'activités, nous nous réunissons dans une pièce où il y a beaucoup de jouets éducatifs. Un jouet éducatif est un jouet qui permet à une bibliothèque de ne pas avoir peur qu'on brise les fenêtres. La plupart des jouets éducatifs sont soit trop gros pour être lancés, soit attachés aux tables. Quand ils sont d'un format adapté au lancer, vous n'auriez justement pas le goût de les lancer. Les morceaux de casse-tête en mousse ne voyagent vraiment pas très bien dans les airs. C'est dans cette pièce qu'il y a eu toute une histoire l'autre jour. Je veux préciser tout de suite que je n'ai pas été impliqué dans l'histoire.

Tout a commencé quand Maude, qui était en train de faire le casse-tête du camion de pompier, même si elle est une fille, a refusé de laisser Jacob toucher aux pièces du casse-tête. Peut-être que Jacob voulait aider Maude parce qu'il pense que les filles ne connaissent pas grand-chose aux camions. Peut-être qu'il attendait depuis très longtemps de pouvoir enfin faire ce casse-tête-là. Peut-être qu'il voulait devenir ami avec Maude. Peut-être qu'il voulait simplement attirer l'attention de sa mère, étant donné qu'elle discutait de l'apprentissage de la propreté avec la mère de Thomas. Jacob n'aime pas entendre sa mère parler de cet apprentissage, surtout pas avec la mère de Thomas qui a été propre très tôt, paraît-il. Personne ne sait vraiment ce qui se passait dans la tête de Jacob, ni dans celle de Maude, d'ailleurs. Peut-être que Maude était très concentrée à assembler les pièces du casse-tête, ce qui est difficile à faire avec un camion de pompier à cause des échelles. Peut-être qu'elle aime travailler toute seule. Peut-être qu'elle n'aime pas Jacob et qu'elle ne veut pas être son amie. Peut-être qu'elle n'avait pas envie de partager, étant donné qu'elle doit déjà partager beaucoup chez elle parce qu'elle a deux frères et qu'ils ont seulement un chien pour les trois. Personne ne sait vraiment.

La seule chose dont on est sûr, c'est que Maude a dit « non » très fort à Jacob. Et quand Jacob a fait comme s'il n'avait pas entendu, elle l'a poussé. Je suis sûr que Jacob s'est aidé à tomber par terre, parce que Maude ne l'avait pas poussé si fort. Jacob s'est mis à hurler et tout le monde a arrêté de parler et s'est précipité sur les lieux. Se précipiter sur les lieux, c'est une expression qui veut dire que lorsqu'il se passe quelque chose d'intéressant, on se met à courir pour voir ce qui se passe. Si j'avais été dans les pantoufles de Jacob, je n'aurais pas hurlé, étant donné que je n'aime pas gaspiller un hurlement quand un bon cri peut faire l'affaire, mais comme dit Grand-maman, les enfants sont tous différents et chacun réagit à sa manière lorsqu'on l'insulte.

Vous pensez peut-être que la maman de Maude a dit à la maman de Jacob de lui dire d'arrêter de déranger Maude. Et vous pensez peut-être que la maman de Jacob a dit à la maman de Maude de lui dire de partager le casse-tête avec Jacob. Mais ce n'est pas du tout ce qu'elles ont fait. Au contraire, la maman de Maude lui a dit de partager le casse-tête avec Jacob, parce qu'elle doit apprendre à partager. Et la maman de Jacob lui a dit de laisser Maude tranquille, parce qu'il doit apprendre à demander poliment les choses plutôt que de simplement prendre les choses qu'il veut avoir. La maman de Maude n'arrêtait pas d'insister pour dire que Jacob avait le droit de jouer avec le casse-tête, et la maman de Jacob n'arrêtait pas d'insister pour dire que c'est Maude qui jouait avec le casse-tête et que Jacob devait respecter ça. Les deux mamans continuaient de faire ce que les parents doivent faire : insister et encore insister.

Maude et Jacob semblaient de plus en plus confus; je le serais moi aussi, si tout à coup la maman de mon ennemi était de mon côté et que ma maman était du côté de mon ennemi. Un ennemi, c'est quelqu'un avec qui vous n'aimez pas jouer parce qu'il vous cause des problèmes. Le Prince Igor a rencontré beaucoup d'ennemis depuis qu'il s'est mis à la recherche de son ourson en peluche, mais il a appris à les transformer en amis, parce que c'est plus facile ainsi de continuer ses voyages. Je n'ai pas le temps de vous expliquer ici les techniques qu'il utilise, mais je vous les décrirai à un autre moment si vous êtes intéressés.

Le plus étrange, c'est que Jacob et Maude sont allés tranquillement dans un coin de la pièce où il y a des livres très intéressants et ils se sont mis à regarder ensemble le même livre, comme les meilleurs amis du monde. Pendant ce temps-là, les mamans continuaient d'insister et d'insister. Après un bout de temps, on nous a invités à aller dans la salle d'activités; Maude et Jacob sont venus avec nous, comme si de rien n'était. Leurs mamans sont restées dans le fond de la pièce et parlaient calmement, chacune essayant d'être très gentille avec l'autre.

Grand-maman était très excitée d'entendre cette histoire, parce qu'elle aime bien parler des joies du partage. Personnellement, je n'ai pas encore vécu beaucoup de joies à partager. Je peux même dire que, jusqu'à maintenant, partager m'a apporté plus de tracas que de joies. Grand-maman comprend qu'il est difficile d'apprendre à partager, surtout à mon âge, parce qu'encore une fois, je dois apprendre en même temps deux choses qui n'ont pas l'air d'aller ensemble. Il faut que j'apprenne que je suis différent des autres personnes et que je dise : « Ça, c'est moi. Ça, c'est toi. Ça, c'est à moi. Ça, c'est à toi. » En même temps, il faut que j'apprenne à dire : « Ça, c'est à moi, mais je vais le partager avec toi. » Dans tous les cas, le partage n'est pas une chose naturelle pour un enfant de mon âge.

D'après Grand-maman, il semble que partager ne soit pas non plus une chose naturelle pour le reste de l'humanité. Pour m'aider à comprendre, elle m'a proposé d'étudier la question d'un point de vue plus large. Grand-maman m'a expliqué que tout ce que je peux voir, entendre, toucher, goûter et sentir a été inventé par la Vie. La Vie est ce qui fait bouger les choses, et la Vie a besoin de bouger pour rester en vie. Alors la Vie a créé les gens, les animaux, les plantes et tout le reste des êtres pour l'aider à bouger. D'après Grand-maman, même les roches sont vivantes; si je ne peux pas le voir, c'est qu'elles bougent très, très lentement. Personnellement, je pense que si on veut qu'une roche bouge, le plus facile à faire c'est de la lancer. Toutefois, cette explication au sujet de la Vie pourrait être pratique si par malheur il m'arrivait de lancer une roche dans les plates-bandes de ma maman. Il faudra que je m'en souvienne.

Ainsi, la Vie demande à toutes les choses et à toutes les personnes de la faire bouger. En retour, la Vie partage son abondance. L'abondance, c'est tous les livres et tous les films que je peux emprunter à la bibliothèque. L'abondance, c'est la vie, la maison, le travail et l'amour que mes parents partagent avec moi. L'abondance, c'est aussi quand Grand-papa vient nous visiter et qu'il dort dans la chambre à côté de la mienne. Pendant la nuit, si un mauvais rêve me saute dessus, je n'ai qu'à crier « Grand-papa! » et Grand-papa me frotte le dos jusqu'à ce que mon ourson en peluche soit prêt à prendre la relève. Grand-maman m'a dit que l'abondance est partout autour de moi. Quand on ouvre les yeux et le cœur et qu'on reconnaît l'abondance, alors il devient très facile de partager, parce qu'on réalise que le fait de partager n'enlève rien. Il y en a toujours plus.

Je dois dire ici que j'ai été très surpris que Grand-maman m'apprenne que les gens ont été inventés par la Vie. Dans un des livres que Grand-maman m'a donnés, on explique que les gens ont été inventés par des grands singes, et il y a plein de dessins pour le prouver. Cela montre bien que même quand on est vieux on peut changer d'idée.

D'habitude, Grand-maman sait quand assez, c'est assez, alors elle a arrêté de parler de la Vie qui aime bouger et m'a proposé de continuer l'histoire du Prince Igor. Le Prince Igor vient d'arriver dans un nouveau pays lointain où les gens ont besoin de petites pierres bleues pour les échanger contre de la nourriture et des jouets. Pas de problème : des petites pierres bleues, on en retrouvait partout dans le pays. À certains endroits il y en avait plusieurs mètres d'épais, et les gens savaient exactement où les trouver. Eh bien! à peine quelques jours avant l'arrivée du Prince Igor, un méchant a dit à tout le monde que les petites pierres bleues allaient bientôt disparaître et que les gens ne pourraient plus se procurer de nourriture ou de jouets. Alors les gens se sont mis à ramasser toutes les petites pierres bleues et à les garder pour eux, ce qui fait qu'on ne voit plus dans ce pays de petites pierres bleues. Le Prince Igor envisage la possibilité de contourner ce pays, mais il hésite, au cas où son ourson en peluche serait là.

« Quelque chose te rend malheureux aujourd'hui »

Quelque chose te rend malheureux aujourd'hui.
Peut-être les coliques ou un rhume
ou simplement le fait de devoir t'adapter à la vie.
Peu importe ce que c'est, tu ne goûtes pas à la belle vie
que devrait mener un bébé de trois mois.
Une petite promenade jusqu'à l'épicerie,
voilà qui nous fera le plus grand bien.

Alors je t'installe dans ta poussette
et je marche lentement dans le quartier,
espérant que tu t'endormes enfin.
Tu ne t'endors pas, mais au moins tu te calmes.
Nous rencontrons la vieille dame qui habite au coin.

Elle se penche vers toi
et tu lui fais cadeau du plus beau des sourires.
J'ai l'impression qu'elle reçoit ton sourire
et l'enfouit dans un recoin de son cœur fragile,
le conservant précieusement
pour le jour où elle aura besoin d'une grâce spéciale.
Elle murmure : « Merci » et se retourne
avant que je n'aperçoive ses larmes.

Tu as été malheureux tout l'avant-midi.
Les coliques et le rhume peuvent vraiment
gâcher une journée.
Et pourtant, du plus profond de ton être,

tu donnes la seule chose que tu as à offrir.

J'accueille cet instant magique et le dépose dans mon cœur,

en réserve pour le jour où je serai très vieille

et dépendante des autres

pour me nourrir, me réconforter et me garder au chaud.

Je me remets à marcher

et dans une prière,

je te remercie de m'apprendre, bien avant l'heure,

à partager même quand je n'ai plus rien à donner.

10

Prendre soin de son environnement : l'apprentissage de la propreté

Dernièrement, Grand-maman m'a suggéré de vous dire tout ce que je connais sur l'apprentissage de la propreté. En soi, ce sujet est loin d'être aussi attrayant pour les enfants qu'il l'est pour la plupart des adultes, en particulier pour les parents des jeunes enfants. Je n'ai pas eu l'occasion de consulter tous mes amis pour obtenir leur opinion. Cependant, certains m'ont dit que l'apprentissage de la propreté est un processus dont on exagère grandement l'importance, surtout du point de vue de ceux à qui on essaie de l'inculquer. La plupart des enfants que je connais pourraient s'en passer. Mais Grand-maman pense que les enfants et les parents pourraient tirer plein de leçons de ce processus, et elle aimerait bien que je vous explique un certain nombre de choses sur le sujet. Grand-maman ne manque pas une occasion de parler des leçons de vie, alors j'ai accepté d'aborder le sujet. Plus vite ce sera fait, plus vite nous pourrons retourner au Prince Igor, qui en ce moment traverse le désert, un endroit où pour des raisons évidentes l'apprentissage de la propreté, réussi ou non, ne serait pas un problème.

Certains de mes amis ont tout de même accepté, sous le couvert de l'anonymat, de me parler de leurs expériences et de me donner leur opinion sur l'apprentissage de la propreté. Alors pour respecter leurs conditions, je vais changer leurs noms et les circonstances de leur vie. Par exemple, Martin ne s'appellera pas Martin, et il n'aura pas le nombre habituel de papas, de frères et de chambres. Étant donné que cette enquête n'est pas une confession, moi-même, je ne vous dirai pas si je suis propre ou non, ou quelque part entre les deux. L'apprentissage de la propreté est une affaire privée, et je ne vous dirais pas que je suis propre même si je l'étais, par respect pour mes amis. Vous vous dites peut-être que vous pourriez le demander à mes parents, mais comme vous ne savez pas qui sont mes parents — « Félix » étant un pseudonyme — vous allez devoir vous passer de cette information. Je vous ferai remarquer que la plupart des gens dans le monde n'ont pas cette information et mènent quand même des vies fort satisfaisantes.

Quelques-uns de mes amis ont donc répondu à un petit questionnaire que j'ai établi pour les besoins de ma recherche. En voici les trois questions. La première : « Qui a inventé l'apprentissage de la propreté? Et en quelle année? » La deuxième : « Si tu pouvais t'en passer, t'en passerais-tu? » Et la dernière question : « Est-ce que les autocollants de dinosaures sont mieux que les Smarties? » Claudia, qui a été la première à répondre à mon questionnaire (Claudia n'est pas son vrai nom et elle est peut-être ou peut-être pas une fille), a dit que l'apprentissage de la propreté a été inventé par sa maman, à l'âge de deux ou trois ans. Claudia a dit qu'elle pourrait très bien s'en passer, mais qu'elle peut voir la lumière au bout du tunnel. La troisième question ne s'applique pas parce que Claudia n'a jamais reçu d'autocollants de dinosaures, étant donné qu'elle est peut-être ou peut-être pas une fille.

Michaël, qui a trois papas, trois frères et trois chambres, et qui a donc trois opinions sur toute chose, dit que l'apprentissage de la propreté a été inventé par une méchante sorcière à l'Halloween; que jusqu'à maintenant il a réussi à s'en passer; et que la meilleure récompense entre les autocollants de dinosaures et les Smarties sont les sucettes glacées. Lara, qui est peut-être ou peut-être pas un garçon, dit que l'apprentissage de la propreté a été inventé pendant une période sombre de l'humanité, parce qu'il trouve difficile de ne pas mouiller son lit la nuit. Il ne sait pas qui a inventé la chose, mais il est certain que l'inventeur en question n'était pas une personne consciente des besoins des enfants. Il dit qu'il pourrait s'en passer. Pour ce qui est de sa préférence par rapport aux autocollants de dinosaures et aux Smarties, il ne sait pas, parce que ça dépend de la grosseur de l'autocollant et de la couleur des Smarties.

Eh bien! voilà. Si vous voulez savoir ce que les enfants pensent de l'apprentissage de la propreté, demandez-leur tout simplement. Je ne peux pas répondre à mes propres questions, parce qu'il est évident que je connais toutes les bonnes réponses, mais je vais vous dire que l'apprentissage de la propreté n'a jamais été et ne sera jamais un problème chez nous. Mes parents me donnent beaucoup de liberté et ils respectent mes choix. Par exemple, ma mère me demande toujours quel bras je veux mettre en premier dans la manche de mon ensemble de neige. Mes parents lancent aussi beaucoup d'invitations : comme celle de me brosser les dents avant de me coucher. C'est bien, les invitations. Habituellement, les enfants n'aiment pas qu'on leur dise quoi faire.

Grand-maman était impressionnée par le projet de recherche que j'avais préparé pour la discussion sur l'apprentissage de la propreté. Venant d'elle, c'est tout un compliment, parce qu'elle demande toujours quelles recherches ont été faites avant que ne soient prises les décisions politiques importantes. Elle a émis l'opinion que l'apprentissage de la propreté peut être vraiment embêtant pour les enfants et les parents, parce que ça arrive juste au moment où les enfants apprennent à dire : « Ça, c'est à moi. Ce n'est pas à toi. Je peux dire non si j'en ai envie, et même si je n'en ai pas envie. » Et encore : « Tu ne peux pas m'obliger », et pour la première fois, les parents ne le peuvent vraiment pas! Alors ils doivent faire preuve de créativité pour continuer de respecter les choix de leur enfant, tout en lançant plein d'invitations pour qu'il puisse enfin entrer dans un monde où les sacs à couches peuvent être entièrement consacrés au transport des jouets.

Grand-maman affirme que la plupart des grandes personnes ont très bien appris à être propres, ce qui est certainement un soulagement pour leurs parents pleins de patience et de créativité. Mais elle soutient aussi que toutes les grandes personnes n'ont pas appris *les leçons* de l'apprentissage de la propreté. Quelles sont donc ces leçons?

Premièrement : ne fais pas de saletés. Et pourtant, des gens continuent de jeter leurs papiers dans la rue, ils laissent tomber leurs mégots de cigarettes par terre, et certains font seulement semblant de ramasser les besoins de leur chien dans le parc.

Deuxièmement : apprends à connaître ton corps. Fais attention à ses besoins, à ses rythmes, à ses douleurs, à son confort. Apprends à te dire et à dire aux autres de quoi ton corps a besoin. Et pourtant, beaucoup de gens ignorent les besoins de leur corps. Ils le poussent trop ou pas assez. Ils n'écoutent pas les signes annonciateurs de stress ou de maladie.

Troisièmement : dis oui quand tu veux dire oui. Dis non quand tu veux dire non. Et apprends à reconnaître la différence. Et pourtant, certaines personnes disent non uniquement pour s'opposer à l'autorité, et pas parce que c'est la bonne réponse pour elles. Et d'autres disent oui uniquement parce qu'elles croient que c'est ce qu'on attend d'elles.

Quatrièmement : tu peux faire des erreurs, parce que tous les humains en font. Ne te punis pas parce que tu as fait une erreur, mais répare-la. Apprends à repartir à zéro et sois patient. Sois reconnaissant pour l'aide qu'on t'apporte. Et pourtant, les gens ruminent leurs erreurs et deviennent très critiques envers eux-mêmes. Ils veulent de l'aide, ils en ont besoin, mais ne veulent pas en demander. Ils pensent qu'ils doivent trouver toutes les réponses par eux-mêmes, et ils se privent de la joie de recevoir de l'aide de leur famille, de leurs amis et de leurs collègues. Ils oublient que la vie est un processus d'apprentissage, comme l'est l'apprentissage de la propreté.

Et *finalement : certaines choses sont du domaine privé. Qu'il en soit ainsi.* Il n'y a rien d'autre à ajouter.

« Toutes ces personnes n'ont-elles pas appris à être propres? », demande Grand-maman, sur un ton qui en dit long…

Je pense que Grand-maman avait besoin de vider son sac au sujet de ces quelques leçons de vie. Parfois, les leçons lui pèsent. C'est bon pour elle d'en laisser quelques-unes s'envoler autour de la terre. Je suis sûr qu'elle est heureuse de la chance que je lui ai donnée de le faire.

J'aime bien aider Grand-maman. Ça la met de bonne humeur, et alors elle peut me raconter un long chapitre des aventures du Prince Igor.

« Non, non, je te dis non »

Non, non, je te dis non.
Je ne le ferai pas.
J'en ai par-dessus la tête de tes ordres.
J'en ai par-dessus la tête
de me faire mener par le bout du nez.
Tout le monde me traite comme une enfant, surtout toi.
Tu n'es pas mon chef.
J'en ai assez d'avoir à obéir.
J'en ai assez que des gens me disent
comment je devrais vivre ma vie.
Je vais te le dire, et tu ferais mieux d'écouter,
je ne peux pas supporter
que sans arrêt tu me donnes des ordres.
Arrête ça tout de suite.

Je ne veux pas avoir à le répéter.

ARRÊTE ÇA TOUT DE SUITE!

Alors la prochaine fois que tu voudras le beurre, cher mari,
rappelle-toi seulement que « Passe-moi le beurre »
ne le fera pas venir jusqu'à toi.
Dans cette maison, la façon d'obtenir du beurre
consiste à dire :
« Me passerais-tu le beurre, s'il te plaît, chérie? »
Et là, je serai sûre que tu comprends enfin
que je ne suis pas une enfant de deux ans.
Et tu pourras finalement manger ta rôtie beurrée,
même si d'ici là ta rôtie aura peut-être refroidi.

11

Définir la réalité : les compagnons de jeu imaginaires

Comme vous le savez, l'un des avantages des temps de réflexion, c'est qu'on a l'occasion de rendre visite à ses vieux amis, comme le gros chien que je suis le seul à voir. Le gros chien s'appelle Leroi et j'ai eu le privilège de choisir son nom, parce que Leroi est *mon* chien. Leroi n'obéit qu'à moi. Il mange ce que je lui donne et il dit toujours merci, surtout quand c'est des biscuits au chocolat. Il peut aller dehors dans la neige sans bottes et sans manteau, parce qu'il porte toujours sa fourrure. Il n'a pas besoin d'aller se coucher plus tôt que les autres chiens. Il peut regarder la télévision toute la journée si je décide que les émissions sont éducatives. Quand nous prenons la voiture pour rendre visite à Grand-maman et Grand-papa, il vient avec moi et regarde par la fenêtre afin de repérer les camions de pompier et les trains. Je dois le faire monter discrètement dans la voiture, parce qu'il refuse de s'asseoir dans un siège d'auto. Chez nous, tout le monde doit toujours être assis dans un siège d'auto, c'est une règle très importante. Alors Leroi ne dit pas un mot dans la voiture.

Un jour, j'ai parlé de Leroi à William, mon ami de la garderie. Je fais entièrement confiance à William. Jamais il ne me dénoncerait, peu importe ce que je fais. William dit qu'il a lui aussi quelqu'un qu'il est le seul à voir et qui est devenu son ami. Contrairement à Leroi, cet ami ne vient pas voir William pendant les temps de réflexion. Il vient plutôt quand William s'apprête à se coucher, ce qui est très utile parce que le papa de William doit souvent partir en avion. Dans les faits, le chien de William est un singe et il s'appelle Banane. Je trouve que Banane est un très joli nom. J'ai même déjà pensé à changer le nom de Leroi pour l'appeler Banane. Mais Leroi est immédiatement apparu en personne et s'est mis à grogner pour montrer qu'il ne voulait pas changer de nom.

Banane est avec William depuis plus longtemps que Leroi est avec moi, alors William a plein d'histoires à raconter sur son singe. En voici une. Vous savez comment ça se passe quand vos parents découvrent quelque chose à votre sujet dont vous ne leur aviez pas encore parlé. Ils en *discutent*. Eh bien! le papa de William a surpris une conversation entre William et Banane et il a révélé à la maman de William que leur fils avait un singe imaginaire comme ami. William a été très insulté, pas parce que son papa avait découvert Banane — il aurait fini par lui en parler —, mais parce qu'il avait dit que Banane était imaginaire. Imaginaire, ça veut dire « pas réel », et Banane est très réel. Il *parle* même à William. Peut-on trouver plus réel? Banane et William ont donc discuté du problème, et Banane a proposé un plan pour faire comprendre aux parents de William qu'il existe vraiment.

Après avoir passé la nuit à perfectionner le plan, William a envoyé Banane vivre dans le garde-robe de sa chambre. Banane était d'accord parce que ça faisait partie du plan. Dans une boîte, William lui avait laissé beaucoup d'air frais et de nourriture bonne pour la santé. La maman de William est venue réveiller son fils et l'aider à s'habiller avant le déjeuner. William se comportait le plus normalement possible; sa maman aurait dû tout de suite se douter qu'il se passait quelque chose. Je ne veux pas dire que William n'est pas normal, mais disons que chaque matin il aime bien inventer une nouvelle routine.

La maman de William lui a servi un bol de céréales. William aime beaucoup ces céréales-là, avec des raisins et du lait chaud, et il a été tenté de tout remettre au lendemain. Mais Banane lui est apparu un instant et il a dit à William d'aller de l'avant avec le plan — la vie dans un garde-robe n'a rien de rigolo. William a donc refusé de manger ses céréales. Quand un enfant refuse de manger, sa maman lui demande s'il a mal au ventre, elle lui touche le front et les joues pour voir s'il fait de la fièvre, puis elle regarde l'horloge et elle soupire. Ensuite, elle lui dit d'arrêter ça et de manger. C'est bien sûr ce que la maman de William a fait. William l'a regardée droit dans les yeux et il lui a expliqué très calmement qu'il ne pouvait pas manger parce que Banane n'était pas là pour lui dire de le faire. William a de la difficulté avec les longues phrases, comme c'est le cas de la plupart des enfants qui n'ont pas encore quarante-douze ans, alors il a dû dire quelque chose comme : « Veux pas… Banane pas là… Banane dit pas manger. » La maman de William a compris qu'il voulait une banane et elle lui en a offert une.

William a refusé. Finalement, la maman de William a dit qu'il pourrait manger son déjeuner plus tard. Elle a préparé une grosse collation pour apporter au centre commercial où ils devaient aller acheter une paire de bottes. Mais William a refusé de mettre son ensemble de neige. Une fois encore, il a expliqué qu'il ne pouvait pas le faire parce que Banane ne lui avait pas dit de le faire. De nouveau, il y a eu un peu de confusion, parce que la maman de William pensait qu'il voulait avoir une banane. Je dois vous dire ici que je suis content que mon chien s'appelle Leroi. Il n'y a pas de confusion possible. Évidemment, après un bout de temps, William a fini par être habillé de son ensemble de neige, mitaines et tuque comprises. Il est impossible de refuser indéfiniment de mettre un ensemble de neige sans se voir infliger un temps de réflexion. Mais par la suite, William ne voulait pas que sa mère l'assoie dans le siège d'auto. Enfin, vous imaginez la situation. Ce n'était pas beau à voir.

La mésentente s'est poursuivie tout l'avant-midi, et ça ne facilitait pas le magasinage. À un moment donné, la maman de William a fini par comprendre et elle lui a dit : « Pourquoi ne pas amener Banane avec nous? » C'était très courageux de sa part, parce qu'elle n'avait pas la moindre idée de qui était Banane et de l'impact à long terme de la présence d'un singe dans leur vie. Banane est sorti du garde-robe, ayant mangé tous les biscuits au chocolat et respiré tout l'air pur, et il est allé retrouver William et sa maman au centre commercial. Ce soir-là, la maman de William a placé une chaise autour de la table et mis un couvert de plus pour que le papa de William comprenne que Banane était bien réel. Le papa de William l'a compris tout de suite, car il travaille dans un magasin de meubles.

Grand-maman a aimé cette histoire, parce qu'elle admire énormément les gens qui ont des amis imaginaires. Elle dit que l'imagination est un cadeau que la Vie offre aux gens pour les remercier de semer la Vie. Elle a remarqué que les gens qui sont reconnus comme des grands « semeurs de vie » ont une grande imagination dont ils se servent tout le temps. Ils voient les choses d'une manière originale, ils chérissent leurs rêves, ils créent des nouvelles idées quand les anciennes ne sont plus utiles, ils se demandent comment ils peuvent aider les autres, ils aiment résoudre des problèmes. Ces gens n'essaient pas de résoudre le mystère de la Vie — ce qui serait très insultant pour la Vie —, ils apprennent à le contempler. D'après Grand-maman, on ne peut jamais avoir trop d'imagination. Être capable d'imaginer, ce n'est jamais mal. Ce qui fait la différence entre le bien et le mal, c'est ce qu'on fait avec ses images. C'est vrai aussi pour d'autres choses, comme les sentiments et les pensées.

Grand-maman pense que tous les gens naissent avec une énorme capacité d'imaginer leur vie. Alors, pourquoi tant de grandes personnes manquent-elles d'imagination? Il semble se passer quelque chose entre l'enfance et le moment où l'on est une grande personne qui fait que les gens se mettent à croire qu'« imaginaire » est le contraire de « réel ». Pire encore, les gens croient qu'ils doivent choisir l'un ou l'autre, ce qui veut dire évidemment qu'ils doivent choisir le « réel ». C'est vraiment triste d'avoir à choisir, parce qu'« imaginaire » et « réel » sont faits pour aller ensemble et ne devraient jamais être séparés dans la Vie.

Grand-maman a ajouté une autre pensée qui m'a vraiment surpris : les grandes personnes, tout comme les enfants, peuvent avoir des compagnons de jeu imaginaires. Grand-maman m'a révélé que quand elle fait une grosse erreur et se sent mal de l'avoir faite, elle imagine qu'il y a en elle quelqu'un qui l'aime beaucoup et qui lui dit des choses tendres, et ce, même si elle a fait une grosse erreur. Grand-maman dit que ça l'aide à trouver le courage de dire qu'elle est désolée et d'essayer de réparer son erreur. Grand-maman connaît des gens qui imaginent qu'il y a en eux une personne méchante, une sorte de méchante sorcière qui leur dit des choses désagréables. Cette méchante sorcière gronde les gens quand ils ont fait une erreur, alors ils se sentent pire qu'avant. Il leur est donc plus difficile de dire qu'ils sont désolés et de réparer leur erreur. C'est étrange que les gens imaginent de telles sorcières. Grand-maman a souvent essayé d'aider des gens à s'imaginer une personne plus gentille, qui serait bonne pour eux. Selon elle, ça les aiderait.

Parfois, Grand-maman est portée à s'étendre longuement sur des sujets comme les amis imaginaires ou les sorcières. Ça ne me dérange pas trop, car je peux faire apparaître Leroi. Ça me fait du bien de converser avec lui quand j'entends trop de grands mots. Avant de demander à Grand-maman de me raconter l'histoire du Prince Igor, j'ai voulu savoir s'il lui arrivait de m'imaginer, *moi*, car je suis bien réel, ou du moins je le pense. Ça ne me dérange pas d'*avoir* un ami imaginaire, mais je ne voudrais pas en *être* un. Grand-maman m'a répondu que bien sûr, elle est toujours en train de m'imaginer, et mon papa et ma maman aussi. Par exemple, quand je suis grognon, mes parents imaginent que j'ai comme des bulles dans le ventre ou de la fièvre, que j'ai faim, que je suis fatigué ou que je suis en manque de câlins. Pour être capables de bien m'imaginer, ils m'observent attentivement, ils me parlent, ils me posent des questions, ils me touchent. La plupart du temps, je dois admettre qu'ils sont plutôt bons dans leurs façons de m'imaginer. Ah! s'ils pouvaient donc devenir meilleurs à m'imaginer en manque de biscuits au chocolat!

« Je te regarde jouer avec tes petits amis »

Je te regarde jouer avec tes petits amis,
ou peut-être devrais-je dire avec tes petits ennemis.

J'observe la façon dont tu te comportes avec eux
et la façon dont ils se comportent avec toi,
et je ne comprends pas.
Tu es un enfant si doux et si docile.
Pousser, donner des coups de pieds et menacer de mordre :
ce n'est vraiment pas toi.
Mais peut-être que ce l'est?

Un jour, tu es le plus gentil des enfants

et je me vante de toi auprès de qui veut bien m'entendre.

Le lendemain, tu es le pire des enfants,

et je m'assure de ne parler de toi à personne.

Mais ensuite je me demande :

a-t-il vraiment autant changé en un seul jour?

ou bien est-ce moi qui l'invente?

Essayer de te comprendre est devenu pour moi

le but de ma vie.

Je te surveille à chaque instant.

Je veux vraiment savoir qui tu es, ce que tu es.

Je suis debout, toujours aux aguets,

cherchant à percer le mystère de « toi ».

Mais dès que je crois avoir réussi,

je constate que je ne te connais vraiment pas,

et je me retrouve à la case départ.

Alors mon cher enfant,

mon cher petit ange, mon cher petit diable,

j'ai une demande toute simple à te faire.

Cette demande, tu peux facilement me l'accorder

si tu es le petit ange que je crois que tu es.

Mais aussi, hélas! tu peux facilement me la refuser

si tu es le petit diable que je crois aussi que tu es.

Le vrai « toi » peut-il se lever

pour que je puisse enfin m'asseoir?

12

Reconnaître ses limites : l'épuisement

Alicia est une fille très gentille qui vient souvent à la bibliothèque. Je l'aime beaucoup, parce qu'elle comprend qu'au moins un des coussins rouges doit m'être réservé. Elle m'en a même gardé un la semaine dernière lorsque Maman et moi étions un peu en retard à cause d'un différend au sujet de mon ensemble de neige. Alicia amène sa grand-mère avec elle à la bibliothèque. Sa grand-mère porte des lunettes, elle est donc très intéressée par tout ce qui se rapporte aux livres. Alicia a aussi une maman, mais sa maman ne se sent pas bien dernièrement et elle doit dormir beaucoup. C'est pour ça que la grand-mère d'Alicia a le privilège de prendre soin d'Alicia et de sa grande sœur, Mégan.

Alicia sait que je suis bon pour écouter. Être bon pour écouter, ça vient naturellement quand on est petit. On ne connaît pas tous les mots dont on a besoin pour parler, alors c'est plus simple d'écouter.

C'est ainsi qu'on développe les habiletés pour bien le faire. Alicia m'a confié que sa maman n'était pas bien. Tout a commencé le jour de l'épicerie. Alicia avait l'habitude d'aller faire les courses avec sa maman, et elles s'étaient inventé une belle routine. Alicia s'assoyait dans le chariot et faisait des suggestions à sa mère sur les choses à acheter. Lorsqu'elles passaient dans l'allée des bonbons, Alicia montrait du doigt les chocolats et sa mère disait : « Quand nous arriverons à la maison, je te donnerai une bonne collation : des raisins et du fromage. » Alors Alicia faisait semblant d'être déçue. Finalement, Alicia et sa maman se mettaient en file à la caisse pour payer leurs choses et les rapporter à la maison. Le jour de l'épicerie, la famille mangeait du spaghetti pour le souper. Alicia aime beaucoup le spaghetti, parce que sa maman comprend que c'est difficile de manger du spaghetti sans faire un peu de dégât. J'ai entendu dire que les filles, plus que les garçons, doivent toujours essayer d'être très propres et d'éviter les dégâts. Il faudra que je demande à Grand-maman si c'est vrai.

Eh bien! ce jour-là, Alicia et sa maman avaient mis une énorme quantité de nourriture dans leur chariot, parce que leur famille attendait de la visite pour la fin de semaine et que la maman et le papa d'Alicia allaient faire plusieurs recettes spéciales. Alicia et sa maman se dirigeaient vers les caisses pour aller payer. Mais tout à coup, la maman d'Alicia l'a prise dans ses bras et elle est sortie rapidement du magasin, laissant là le chariot et toute la nourriture. Alicia ne comprenait pas ce qui se passait, surtout quand sa maman s'est assise dans la voiture et qu'elle s'est mise à pleurer et à dire : « Je n'en peux plus. Qu'est-ce qui m'arrive? » Alicia aussi a commencé à pleurer, parce qu'une maman qui pleure, ça fait peur. Sa maman a fini par l'attacher dans son siège d'auto et lui a dit : « Je t'aime, ma chérie. » Ensuite, elle a mouché son nez et celui d'Alicia, et elles sont rentrées à la maison.

Quand elles sont arrivées à la maison, la maman d'Alicia s'est remise à pleurer. Cette fois-ci, c'était sûrement parce qu'elle avait oublié où étaient les provisions. Alicia a essayé de lui dire où elle les avait laissées, mais sa maman a continué à pleurer. À ce moment-là, la grande sœur d'Alicia est revenue de l'école et elle a demandé à sa maman pourquoi elle pleurait. La maman a dit qu'elle était simplement très fatiguée et que si elles voulaient l'aider, elles pouvaient aller regarder la télévision.

Alicia et Mégan ont donc décidé d'aider leur maman, mais leur émission préférée n'était pas aussi drôle que d'habitude. Elles ont monté le son de la télé, mais ça ne marche pas aussi bien quand votre maman est en train de pleurer dans la cuisine. Et puis aussi, les bulles dans le ventre, ça fait plus de bruit que la télévision, au point où vous n'entendez presque plus rien. C'est ce qu'Alicia a découvert ce jour-là. Quand son papa est rentré du travail, il a été surpris de voir que le souper de spaghetti n'était pas prêt. En fait, Alicia et Mégan avaient déjà mangé, leur maman leur ayant servi exactement les mêmes céréales qu'au déjeuner.

Évidemment, le papa d'Alicia a demandé ce qui se passait. Tout ce que la maman d'Alicia a pu répondre, c'est qu'elle ne savait même pas si elle aimait le spaghetti. Ils en mangeaient tous les jeudi soirs depuis toujours, mais elle ne savait pas du tout si elle aimait le spaghetti, et c'est ça qui la faisait pleurer. Finalement, il y avait aussi beaucoup d'autres choses que la maman d'Alicia ne savait pas : ce qui lui arrivait, ce qu'elle était en train de faire de sa vie, ce qui arriverait aux filles si elle tombait malade, ce qui se passerait avec la maison si elle arrêtait de travailler, ce que les gens diraient, et bien d'autres choses qu'Alicia et Mégan ne comprenaient pas vraiment. La maman d'Alicia n'arrêtait pas de pleurer, même si leur papa lui parlait très doucement. Finalement, elle a dit bonne nuit aux filles et elle est allée se coucher.

Le papa d'Alicia s'est fait cuire des œufs et des rôties, bien qu'il ait mangé exactement la même chose le matin au déjeuner. Il a apporté son repas dans la salle familiale pour être avec les filles. Je commence à penser que le fait de manger pour le souper la même chose qu'au déjeuner est un signe que les choses ne vont vraiment pas bien. Il me semble que ce serait mieux de manger des biscuits au chocolat avec un verre de lait. Ma maman dit que les biscuits au chocolat ne sont pas bons pour le corps, mais qu'ils sont vraiment très bons pour le cœur. Le papa d'Alicia a expliqué aux filles que leur maman ne se sentait pas bien, mais qu'elles ne devaient pas s'inquiéter; il allait prendre soin d'elles. Tout ce qu'elles avaient à faire, c'était de continuer à être de bonnes petites filles, et tout irait bien. Mais ensuite, il a appelé leur grand-mère; il lui a dit qu'il s'inquiétait de ce qui arrivait à la maman d'Alicia et qu'il ne comprenait pas ce qui se passait.

Le lendemain, Mégan est allée à l'école et Alicia, à la garderie. Leur maman s'est rendue chez un médecin, même si le simple fait de sortir du lit semblait au-dessus de ses forces. D'après ce qu'Alicia a compris plus tard, le docteur a écouté le cœur de leur maman. Il a dit que son cœur et sa tête étaient très fatigués et qu'elle avait besoin de se reposer pendant un long moment. Le docteur a dit aussi que la maman d'Alicia pleurait beaucoup parce que c'était un moyen pour son corps de lui dire des choses. La maman d'Alicia n'avait pas assez écouté son corps, alors c'était le temps de pleurer si elle en avait besoin. Eh bien! ce soir-là, la maman d'Alicia a continué de pleurer beaucoup. Son corps avait sans doute beaucoup de choses à lui dire.

Après cet épisode, la grand-mère d'Alicia a commencé à venir aider très souvent. Cette grand-mère-là appartient au papa d'Alicia. L'autre grand-mère, celle qui appartient à la maman d'Alicia, n'a pas été invitée à venir aider. La maman d'Alicia a dit à leur papa : « Je ne veux pas avoir ma mère ici en ce moment. Je la respecte et je l'aime, mais c'est elle qui m'a appris que je devais toujours être forte et tout faire à la perfection. Elle me pousserait probablement à utiliser ma volonté pour me relever et reprendre le cours des choses. Me retrouver avec elle me ramènerait le souvenir de la bonne petite fille qu'il fallait toujours que je sois, toujours en train d'aider dans la maison, toujours souriante, pendant que mes frères étaient en train de s'amuser. Je ne suis pas toujours d'accord avec *ta* mère — des fois, elle m'agace tellement! — mais au moins elle ne fait pas partie de mon enfance. Et elle n'a pas l'air de se sentir obligée de faire plaisir à tout le monde. Je l'envie même parfois. » C'est comme ça qu'Alicia a eu la chance de voir sa grand-mère beaucoup plus souvent.

Eh bien! si vous voulez mon avis, cette histoire est assez effrayante, sauf pour ce qui est de la grand-mère qui vient plus souvent en visite, ce qui est plutôt bien. Les grand-mères peuvent souvent être très utiles quand on a comme des bulles dans le ventre. Grand-maman était très intéressée par cette histoire, étant donné qu'elle aime bien les histoires où des gens apprennent des choses sur eux. C'est probablement pour ça que le Prince Igor est toujours en train d'apprendre des choses dans ses voyages. La semaine dernière, il a appris que les tigres géants peuvent être dangereux pour la santé, même si leurs rayures pourraient laisser croire qu'ils ne sont pas agressifs. Grand-maman dit que beaucoup de familles aujourd'hui ne semblent pas avoir assez de temps pour faire tout ce qu'il faut pour être une famille en santé. D'après Grand-maman, il est inutile de dire aux gens de prendre plus de temps pour eux. Ça ne marche pas, parce que si on n'a pas de temps, comment peut-on en prendre plus? C'est comme dire de prendre un biscuit au chocolat quand il n'en reste plus dans la boîte!

Mais ce que les gens ont, ce sont des *moments*. Les gens pourraient et devraient prendre beaucoup de moments parce que, contrairement au *temps*, les moments sont partout autour de nous et peuvent être pris si on s'en donne la peine. Apparemment, un moment peut avoir le même effet positif qu'un biscuit au chocolat, sans l'augmentation du taux de sucre qui l'accompagne. Ma maman range le sucre très haut dans l'armoire, parce qu'elle ne s'en sert pas souvent. Elle dit qu'après avoir mangé beaucoup de sucre, il arrive qu'on se sente déprimé ou surexcité. Les gens ont besoin de prendre beaucoup de moments pendant la journée, parce que ça les aide à affronter le temps. Il est bon aussi que les gens prennent des moments pour eux et qu'ils échangent des moments avec les autres, parce que les moments ont besoin de circuler pour avoir un effet positif. Voici un exemple de bon moment : dire « merci » à quelqu'un dans la famille. Ce moment-là est un bon moment parce qu'il dit à l'autre « Je t'ai vu » et que le fait d'être vu d'une belle façon nourrit le cœur. Un autre exemple de bon moment : quand on respire lentement et profondément pour dire à son corps qu'on l'apprécie. Et encore : quand on regarde autour de soi pour voir ce qu'on n'avait pas encore vu, par exemple la lumière dans le gros érable près de la maison. Il y a plusieurs autres sortes de moments, et chacun sait lesquels il préfère. Ce qu'il faut retenir, c'est que prendre des moments nous rend forts et capables d'affronter le temps.

J'ai saisi le moment, et Grand-maman et moi avons rejoint le Prince Igor dans ses voyages. À ce moment-là, il admirait le coucher de soleil, mais il gardait aussi un œil sur un bruit qui indiquait la présence d'un tigre peu amical.

« Tout allait si bien »

Tout allait si bien.
Les enfants, tous intelligents et en santé,
profitaient pleinement de l'école à la maison.
Le mari, fort, travailleur, bel homme.
Le jardin, assurément le plus prolifique
de tout le voisinage.
La maison, à la hauteur des standards les plus élevés
en matière d'ordre et de propreté.
Les cinq comités, fonctionnant tous harmonieusement
sous ma direction.
La chorale de la paroisse, bien dirigée et mélodieuse,
pour élever mon esprit et peut-être racheter mon âme.

Et puis un jour, subitement,
une lézarde dans cette vie parfaite.
Et puis une autre lézarde
et puis encore une autre et une autre.
Je suis tombée tout au fond d'un gouffre.
J'étais incapable de bouger.

Soudainement, une voix s'est mise à murmurer :
« Reprends-toi, ma chérie, je sais que tu en es capable. »
Le murmure s'est amplifié,
jusqu'à devenir un ordre sévère :
« Reprends-toi, ma chérie. Tout de suite. »
Le murmure m'empêchait de dormir,

mais l'ordre était répété en vain.

J'étais incapable de bouger!

Enfin, j'ai réussi à me traîner et à traîner la voix avec moi

pour aller consulter un sage.

« La voix, m'a-t-il dit,

parle au nom de toutes les autres voix

qui ont une opinion bien arrêtée

sur la façon dont tu devrais vivre ta vie.

Je vais t'aider à te reprendre,

mais tu ne peux reprendre que ce qui est vraiment toi.

Le fond d'un gouffre est un endroit parfait

pour écouter et regarder autour de soi.

Écoute les voix

et décide lesquelles sont vraiment les tiennes. »

Changer toute la literie une fois par semaine?

La voix de grand-tante Berthe,

qui vivait dans un climat très humide.

Le comité de la bibliothèque?

La voix de mon père,

fondateur de la bibliothèque de notre petit village.

L'école à la maison?

La voix de ma mère,

pour qui l'éducation avait tant d'importance.

Toutes ces voix, et tant d'autres,
qui n'étaient pas vraiment les miennes.
J'ai décidé de réorganiser ma chorale intérieure.
J'ai renvoyé quelques sopranos récalcitrants
et gardé seulement ceux qui voulaient chanter
sous ma *direction.*
Et sous ma nouvelle direction, la chorale paroissiale,
celle que les autres peuvent entendre,
n'a jamais aussi bien chanté.
Depuis que j'ai repris
uniquement ce qui était moi.

13

Quitter la maison : la garderie

Un jour, la semaine dernière, en arrivant à la garderie, j'ai tout de suite remarqué qu'il y avait un nouveau garçon. Il s'appelle Nathan et il a les cheveux noirs. Il avait apporté avec lui un camion de pompier. Dans ma vie, j'ai déjà vu des garçons avec des cheveux de cette couleur-là, mais je n'avais jamais vu de camion de pompier avec une échelle aussi longue et autant de roues. Évidemment, j'étais très intéressé à devenir l'ami de Nathan le plus vite possible. Denise, notre éducatrice, nous a fait prononcer à haute voix le nom de Nathan et elle nous a demandé de lui dire « Bienvenue ». Bienvenue, ça veut dire que tu peux venir chez moi et que je vais te prêter certains de mes jouets pendant un moment.

Le papa de Nathan était là aussi. Denise nous a demandé de lui dire bonjour. Nathan avait enroulé ses bras autour de la jambe de son papa et il avait l'air décidé à rester là. En effet, chaque fois que Denise lui demandait de venir jouer avec nous, il enroulait aussi sa tête autour de la jambe de son papa. J'ai pensé que c'était peut-être le bon moment pour permettre à Nathan de partager son camion de pompier avec moi, étant donné qu'il ne l'utilisait pas. Mais quand j'ai pris le camion pour aller éteindre un feu, Nathan a poussé un hurlement si fort que j'ai immédiatement compris que je ne serais pas pompier ce matin-là. Je suis donc allé construire une maison avec les blocs en bois, et j'ai même laissé Zoé mettre sa poupée dans ma maison pour montrer à Nathan que je pouvais être un ami fiable.

Ce matin-là, Nathan et son papa sont restés seulement jusqu'à la collation. Ils sont repartis parce que le papa de Nathan commençait à avoir mal à la jambe et aussi parce que Nathan n'avait pas encore décidé qu'il voulait faire partie de notre groupe. Le lendemain, il est revenu, cette fois avec un avion jaune qui est une ambulance. Une ambulance, c'est une voiture avec des lits. Lorsqu'on ne se sent pas bien, on peut aller se coucher dans un des lits : le conducteur de l'ambulance va faire le tour du quartier, très rapidement, pour faire en sorte qu'on guérisse. Certaines ambulances sont des avions, pour quand on a besoin de voyager très, très longtemps avant d'aller mieux. Les avions vont plus vite que les voitures, parce qu'il n'y a pas de feux rouges dans le ciel. Dès que j'ai vu l'avion ambulance, j'ai su que je voulais vraiment être l'ami de Nathan. Ce qui est triste, c'est que ce jour-là, Nathan n'a pas compris que je voulais être son ami. Il voulait seulement être l'ami de son papa et quand son papa est parti, il a beaucoup pleuré. Son papa aussi était très triste. Je le sais, parce que j'ai regardé par la fenêtre quand il est sorti. J'ai vu qu'il pleurait, lui aussi.

J'ai commencé à avoir comme des bulles dans mon ventre quand Nathan pleurait. Je souhaitais que ma maman vienne me chercher le plus vite possible, même si nous n'avions pas encore pris la collation. Denise a décidé que nous avions tous besoin de nous sentir heureux. Elle nous a donc demandé de l'aider à faire un dessert. Nous avons fait une recette dans laquelle il y avait du pouding au chocolat, des miettes de biscuits au chocolat et des jujubes en forme de vers. Denise m'avait confié la tâche la plus importante, celle d'émietter les biscuits au chocolat. C'était vraiment très salissant, mais Denise sait qu'un bon dégât peut nous aider à retrouver notre sourire. Nous étions de fait tous beaucoup plus heureux après ce travail. Même Nathan a oublié à plusieurs reprises qu'il était très malheureux. Ce qui a aidé Nathan a redevenir heureux, c'est aussi le fait que Denise sent si bon et que ses mains sont chaudes. Pas un enfant n'aimerait être à la garderie avec quelqu'un dont il n'aime pas l'odeur et qui a les mains froides. Ce serait comme se faire garder par une méchante sorcière.

Denise nous a expliqué ce jour-là que Nathan vient d'un pays étranger. Comme vous le savez, je suis très intéressé par les pays lointains, parce que c'est là que le Prince Igor est parti en voyage. L'espace d'un instant, j'ai pensé que Nathan avait peut-être vu le Prince Igor avant de venir vivre dans notre pays, mais il ne l'avait pas rencontré. J'étais un peu déçu, même si je sais que le Prince Igor est le personnage d'une histoire. Je suis porté à croire que si moi, je peux voir le Prince Igor, les autres enfants devraient aussi pouvoir le voir. Dans le pays de Nathan, il n'y a pas de neige, seulement beaucoup de fruits qui poussent dans de grands arbres. Mais Nathan n'était pas obligé de manger les fruits qu'il n'aimait pas. Dans ce pays étranger, les mamans ne s'habillent pas comme ma maman. Je le sais parce que le papa de Nathan a prêté à Denise des photos de Nathan bébé, entouré de plusieurs autres mamans. Denise nous a montré ces photos parce qu'elle aime les gens qui font les choses différemment de nous. Elle dit qu'on peut apprendre beaucoup de ces personnes.

Nathan ne pleure plus maintenant quand son papa le laisse le matin, mais ses lèvres tremblent un peu et il s'accroche à la main de Denise quand la porte se referme. Pendant que Nathan est occupé à ne pas pleurer, je surveille son papa par la fenêtre. Son papa ne pleure plus avec son visage, mais il doit rester assis dans sa voiture un petit moment pour se moucher. L'eau de ses yeux ne sort pas par ses yeux mais par son nez.

Grand-maman était très intéressée d'apprendre que nous avions un nouvel ami à la garderie. Comme Denise, Grand-maman aime les gens qui viennent de pays lointains, parce qu'ils ne font pas les choses exactement comme nous dans notre pays. Elle croit que Nathan et moi pourrions devenir de très bons amis, parce que les bons amis sont souvent très différents l'un de l'autre. C'est ce qui fait d'eux de bons amis, sauf quand ils se battent. Je n'ai pas commencé à me battre avec Nathan. C'est peut-être parce que nous ne sommes pas encore d'assez bons amis. D'ailleurs, ma maman attend avant de me donner la permission de me battre, parce qu'elle a d'autres permissions à me donner avant celle-là.

J'ai demandé à Grand-maman de m'expliquer pourquoi le papa de Nathan se met plus ou moins à pleurer quand il le laisse chez Denise. Après tout, ce n'est pas lui qui se retrouve avec de parfaits étrangers. Et ce n'est pas lui non plus qui doit obéir à toutes sortes de règles et au moins goûter à tout ce qu'on nous sert pour le dîner. Eh bien! Grand-maman m'a dit qu'elle ne sait pas au juste pourquoi le papa de Nathan se met plus ou moins à pleurer, parce que le seul moyen de vraiment le savoir serait de le lui demander. Malgré tout, Grand-maman avait quelques idées à ce sujet. Une idée, c'est comme une image qu'on voit quand on regarde avec les yeux à l'intérieur de sa tête. D'après Grand-maman, c'est une excellente idée d'avoir beaucoup d'idées.

Grand-maman m'a expliqué que parfois les mamans et même les papas ont comme des bulles dans le ventre, peut-être même plus souvent que leurs enfants, et que ça peut les faire plus ou moins pleurer. Les parents doivent faire deux choses très importantes avec leurs enfants, et parfois ces deux choses leur donnent l'impression de devoir aller dans deux directions différentes. Comme je l'ai dit plus tôt, aller dans deux directions différentes peut faire apparaître de très grosses bulles dans le ventre, au moins pour un moment. La première chose importante que les parents font, c'est d'aider leurs enfants à venir au monde. Ça veut dire qu'ils donnent naissance à un bébé. Les parents sont vraiment très heureux d'avoir un nouveau bébé et ils veulent être sûrs que le bébé sera toujours heureux et en sécurité. Ils ont donc besoin de garder le bébé et de le protéger pendant un très, très long moment. Ils aiment ça, parce qu'ils aiment leur bébé. L'autre chose importante que les parents doivent faire, c'est d'aider le bébé à se préparer pour le jour où il devra quitter la maison et trouver sa place dans le monde. Eh bien! ça, c'est difficile pour les parents, parce qu'ils ont toujours l'impression que leur bébé est trop petit pour quitter la maison, même si le bébé a grandi et qu'il est complètement propre, y compris la nuit. Et même quand le bébé est devenu une très grande personne qui est même assez vieille pour être une gardienne. Parfois, les parents se sentent tristes en pensant que leur bébé va grandir et appartenir au monde, même si c'est ce qui est bon pour le bébé. Et ça peut faire pleurer n'importe quel papa et n'importe quelle maman, ça c'est sûr! Quand le papa de Nathan le laisse à la garderie, il réalise probablement que Nathan est assez grand pour rester sans son papa au moins un petit moment, et que les petits moments vont devenir des longs, longs moments au fur et à mesure que Nathan va grandir.

Grand-maman avait une autre idée au sujet du papa de Nathan. Lui et Nathan viennent d'un pays lointain, et peut-être qu'il s'ennuie de ses amis et de sa grand-maman à lui. Il va aussi s'ennuyer de Nathan pendant qu'il est à la garderie, et peut-être qu'il en a assez de s'ennuyer des gens qu'il aime. Je peux comprendre ça, parce qu'un jour ma maman est partie pour deux dodos et j'avais des bulles dans le ventre et mal à la gorge quand mon papa me couchait le soir. Quand ma maman est revenue, j'étais très content de la revoir et je lui ai dit de ne jamais repartir. J'ai même pleuré un petit peu. Une des raisons qui ont poussé le Prince Igor à partir de chez lui, c'est que son ourson en peluche s'ennuie beaucoup de lui. Le Prince Igor doit donc le retrouver le plus vite possible. Mais ma maman n'a pas perdu son ourson, alors elle n'a pas de raison de s'en aller. En parlant du Prince Igor, si ça vous inquiète, je vous rassure : il *va* retrouver son ourson en peluche. En ce moment même, il est en train de traverser le pays lointain de Nathan, au cas où les méchants auraient caché son ourson dans un arbre fruitier.

« Il y a si longtemps... »

Il y a si longtemps...

Je te regarde dormir, mon fils.
Tu es si petit,
ce qui est normal, bien sûr, pour un nouveau-né.
Ta mère se repose en haut.
Après tout, elle a eu une grosse journée de travail.
Et je réfléchis à la question
pour la première fois de ma vie.

Je te prends de ton berceau
et je t'emmène dans la cuisine
où ta grand-mère est en train de préparer
des montagnes de nourriture.

Et je lui pose la question
qu'un fils peut poser seulement à sa mère.

« À quel moment peut-on sans danger
laisser le bébé seul dans sa chambre? »
Ta grand-mère sourit.
La réponse à cette question,
elle l'a trouvée il y a des années.
« Pour l'instant, quelques minutes à la fois. »

Je veux en savoir plus. Maintenant.
J'ai rencontré ce bébé il y a seulement quelques heures
et déjà je sais qu'il ne quittera jamais mon cœur.
Mais comment saurai-je

qu'il est prêt à ce que je le quitte des yeux?

Comment saurai-je que ce petit est prêt à partir

pour fréquenter toutes les écoles de la vie,

de la maternelle à l'université?

Comment saurai-je qu'il est prêt

à vivre sa *vie?*

Ta grand-mère sourit à nouveau et dit :

« Ton enfant te le dira. »

Et maintenant...

Tu es assis dans le salon

et tu regardes ton tout petit bébé qui dort,

pendant que ton épouse se repose, après son long travail.

Nos cœurs sont remplis de joie
et nous parlons doucement de ta mère,
qui aurait tellement aimé rencontrer cet enfant.
Et soudain tu me poses la question
qu'un fils peut poser seulement à son père :
« À quel moment peut-on sans danger
laisser le bébé seul dans sa chambre? »

14

Sans mot dire : la gymnastique

Je ne sais pas si vous savez ce que c'est, la gymnastique. Je vous pose la question, parce que ce n'est pas tout le monde qui le sait. Aujourd'hui, je sais ce que c'est, mais quand j'étais un bébé, je n'avais aucune idée que ça existait. Je suis sûr que vous voulez tout savoir sur la gymnastique, parce que c'est tellement amusant que vous ne voudriez pas vivre toute votre vie sans ce plaisir.

La gymnastique, ça se fait dans une très, très grande salle remplie de choses vraiment intéressantes et amusantes. Premièrement, on enlève ses chaussures et on peut grimper sur toutes sortes de gros matelas et de barils. Il y a aussi des échelles, des glissoires et des grands cercles sur lesquels on peut s'accrocher et s'envoler très haut dans les airs. La plupart de mes amis et moi, nous n'avons pas le droit de sauter sur les fauteuils à la maison. Chez moi, c'est parce que mes parents ne considèrent pas sauter sur le sofa comme une activité éducative. Mais à la gymnastique, tout le monde peut sauter sur les trampolines. Il y a même une dame très gentille qui aime beaucoup les enfants et qui nous apprend à sauter encore plus haut et à lancer une balle en même temps. Souvent, les enfants peuvent avoir de gros problèmes s'ils sautent sur les choses, surtout si c'est en lançant des objets et que ça implique un vase à fleurs. À la gymnastique, toutefois, ce comportement est considéré comme bon pour la santé. La gentille dame nous donne même des autocollants pour nous remercier de nous comporter aussi bien. Et il n'y a pas de vase à fleurs pour nous compliquer la vie.

Même s'il est difficile de s'attirer des ennuis à la gymnastique, mon ami Max y est parvenu la semaine dernière. Max est ce que Grand-maman appelle un esprit libre. Un esprit libre, c'est quelqu'un qui est capable de disparaître et de réapparaître dans des endroits inattendus. Et c'est exactement ce que fait Max. Si Max peut trouver un endroit pour se cacher, il le fait. À la gymnastique, il y a plein d'endroits pour se cacher, parce que les matelas, les barils et les blocs sont très, très gros. C'est d'ailleurs ce qui rend la gymnastique si intéressante.

Ce matin-là, Max passait son temps à se sauver de son groupe. Sa maman devait lui courir après pour le ramener et le faire participer aux jeux proposés. À un moment donné, sa maman était en train de se plaindre à une autre maman que Max n'arrêtait pas de se sauver et de se cacher, et qu'elle ne savait plus quoi faire avec lui. C'est précisément à ce moment-là que Max s'est sauvé et a disparu. Tout le monde a commencé à l'appeler et à le chercher partout. Certains ont vérifié s'il n'était pas sorti de la salle de gymnastique. Puis tout à coup, un cri perçant est sorti du placard situé sous les marches qu'on prend pour monter vers le trampoline. Le cri perçant était tellement fort qu'il est monté jusqu'au plafond et a envahi toute la salle. J'ai immédiatement pensé que Max avait rencontré un fantôme de placard, et je sais d'expérience que ces fantômes-là peuvent être terrifiants. Toutes les mamans ont probablement pensé que Max s'était coupé sur quelque chose dans le placard ou qu'il avait avalé un poison. Les mamans ont tendance à penser tout de suite au sang ou au poison dès qu'elles ne voient plus leurs enfants. Elles ont toutes mis leurs mains sur leur cœur et se sont mises à crier : « Oh! mon Dieu! » Elles se sont précipitées vers le placard. Max en est sorti, un grand sourire sur les lèvres. Le grand sourire n'a pas duré longtemps, parce que la maman de Max s'est elle-même mise à crier, et les cris d'une maman peuvent rapidement effacer un sourire, même celui du plus libre des esprits.

Je ne sais pas si vous savez la différence entre un cri perçant et un hurlement. Un cri perçant est un hurlement en forme de flèche. Je préfère les hurlements aux cris perçants; ils sont moins fatigants pour la gorge. Et même si un cri perçant voyage plus haut et plus vite qu'un hurlement, je trouve qu'un hurlement est préférable quand on a comme des bulles dans le ventre. Mais, comme dit Grand-maman, à chacun ses préférences. Si Max aime bien les cris perçants, qui suis-je pour dire qu'il devrait faire autre chose? Chez moi, ni les cris perçants ni les hurlements ne sont considérés comme des comportements acceptables. Mes parents m'ont expliqué qu'ils entendent parfaitement bien, merci, et qu'il n'est pas nécessaire de parler aussi fort.

Nous avons tous recommencé à faire de la gymnastique et à nous amuser, sauf Max que sa maman avait emmené dans le bureau. Elle avait arrêté de crier, mais elle avait l'air d'avoir encore des choses à dire à Max. Max est venu nous rejoindre après quelques minutes et il a continué d'avoir du plaisir, parce que c'est pour ça qu'il était là, mais j'ai bien vu qu'il était distrait par ce que sa maman venait de lui dire. Il ne sautait pas aussi haut que d'habitude et il n'a même pas demandé à aller dans la grande boîte remplie de blocs en caoutchouc mousse.

Grand-maman a bien apprécié cette histoire, parce qu'elle aime beaucoup les esprits libres. Je pense qu'elle a dû en être un quand elle avait mon âge. Avant que je sois né, Grand-maman était peut-être une détective de personnes, car elle essaie toujours de trouver des indices pour comprendre le comportement des enfants. Au cas où vous n'auriez jamais entendu ce mot, un indice, c'est comme une petite flèche qui vous indique l'endroit où se trouve peut-être une chose que vous cherchez, que vous savez être là mais que vous ne parvenez pas à voir. À Pâques, j'avais de la difficulté à trouver un de mes œufs de Pâques, alors mon papa a fait comme une flèche avec son doigt pour me montrer que l'œuf était caché sous le sofa. Quand j'ai trouvé l'œuf, j'ai aussi trouvé ma locomotive bleue et le morceau du casse-tête avec la tête du lion. Grand-maman dit que c'est la même chose avec les gens : quand on découvre quelque chose sur une personne, souvent on a la surprise de trouver d'autres aspects qu'on ne soupçonnait pas. La surprise alors se transforme en joie. Ça vaut donc la peine de prendre le temps de chercher pourquoi les enfants se comportent comme ils le font. Vous pourriez trouver quelque chose qui va vous surprendre et peut-être vous rendre heureux, ou au moins qui va soulager les bulles dans votre ventre, si vous en avez.

D'après Grand-maman, il est très facile de voir ce que les gens font. Il suffit d'ouvrir les yeux. Mais *pourquoi* les gens font ce qu'ils sont en train de faire, c'est moins évident. Pour le savoir, il faut ouvrir son cœur et son cerveau, ce qui est très différent d'ouvrir seulement les yeux. Avec mes yeux, je pouvais voir que Max était caché dans un placard qui renfermait peut-être un fantôme. Ce que je ne pouvais pas voir, à moins d'ouvrir mon cœur et mon cerveau, c'était *pourquoi* Max voulait tout le temps se cacher, même au cours de gymnastique. Quand on fait quelque chose très souvent, on appelle ça une habitude. Pourquoi Max avait-il pris cette habitude? Il devait bien avoir compris que ses parents n'approuvaient pas ce comportement. Pourquoi continuait-il à le faire? C'était un vrai mystère.

Grand-maman m'a expliqué qu'une façon de résoudre ce mystère consisterait à penser qu'en se cachant, Max essaie de faire quelque chose qui va l'aider. On ne sait pas pourquoi Max a besoin d'aide; peut-être qu'il ne le sait pas lui non plus. Mais on peut choisir de penser qu'il se cache parce qu'il croit que ce comportement lui rapportera quelque chose de bon. Par exemple, peut-être qu'il veut vérifier si sa maman viendra toujours à sa recherche. Tout le monde sait évidemment que sa maman va toujours se mettre à sa recherche — moi-même je le sais, et je n'ai jamais mis les pieds dans la maison de Max. Mais peut-être que *Max*, lui, n'en est pas sûr. Il n'a peut-être pas de *vraie* raison de penser que sa maman ne se mettrait pas à sa recherche, mais il peut avoir ses propres raisons qui, à ses yeux, sont aussi vraies que toutes les autres. Même si Max ne pourrait pas expliquer pourquoi il choisit un certain comportement, ses intentions sont bonnes. Bien sûr, il faut admettre que la *méthode* qu'il a choisie pour se rassurer est devenue une habitude très ennuyeuse pour tous ceux qui l'entourent. Mais si vous forcez Max à arrêter d'utiliser sa méthode sans vous demander quelles sont ses intentions, il va probablement inventer une autre méthode pour se rassurer. Et sa nouvelle méthode pourrait ne pas être meilleure que la première. Il ne faut pas oublier que Max est un esprit libre. D'après Grand-maman, les esprits libres ont tendance à toujours inventer des choses nouvelles. Il se peut que Max continue d'inventer de nouvelles méthodes jusqu'à ce qu'il soit finalement assuré que sa maman, même si elle lui a ramené un bébé sœur qu'il n'avait jamais demandé, ne cessera jamais de le chercher.

Grand-maman et moi avons retrouvé le Prince Igor, qui est encore en voyage dans les pays lointains, à la recherche de son ourson en peluche. Le Prince Igor s'est fait des tas d'amis pendant ses voyages. Mais à ce moment-ci de l'histoire, un de ses amis, celui qui joue de la flûte magique, a pris une très mauvaise habitude. Chaque fois que le Prince Igor, ses amis et ses chameaux se cachent des méchants, cet ami sort sa flûte et se met à jouer. Les méchants l'entendent et se précipitent évidemment à l'endroit où ils sont cachés. Tout le monde doit alors s'enfuir et trouver une nouvelle cachette. Mais l'ami joueur de flûte magique insiste : quand il aura appris à jouer une berceuse, sa musique pourra endormir tous les méchants. D'après le Prince Igor, ça pourrait être une bonne idée, mais il y a un problème : le joueur de flûte magique ne s'exerce jamais à jouer une berceuse — il refuse de s'exercer à jouer autre chose que de la musique de danse. Le Prince Igor aura fort à faire pour trouver les bonnes intentions ce soir!

« *Je suis convaincue* »

Je suis convaincue

que toute cette histoire d'acrobaties

a commencé avant même ta naissance,

le jour où j'ai sauté de joie

en apprenant que je t'attendais.

Je suis convaincue

que mes sauts t'ont fait comprendre

que la Vie est mouvement

et que tu étais fait pour bouger.

Et pour bouger, tu as bougé.

Dans mon ventre,

tu t'es mis à donner des coups de pieds,

des coups de poing,

et à constamment culbuter.

Tu es sorti de moi aussi rapidement que tu l'as pu,

heureux d'être libre de bouger à ton aise.

Trop jeune encore, tu t'es roulé en bas d'un lit

et je t'ai rattrapé juste à temps.

Trop jeune encore, tu t'es mis à ramper,

mais seulement pour quelque temps,

car tu t'es bien vite mis à marcher

et puis à courir.

Et j'étais toujours derrière toi

pour te rattraper juste à temps.

Puis tu t'es mis à sauter par-dessus tes jouets

et tu as découvert les joies du saut en hauteur.

« Regarde, maman, je suis sur le trampoline! »
Et j'étais là, tout à côté du canapé,
prête à te rattraper juste à temps.

À partir de là tu t'es mis à grimper, à t'étirer,
à te tordre, à faire des pirouettes, à te trémousser,
à rebondir, à plonger, à sauter, à bondir, à sautiller.
Partout et à tout moment tu pouvais t'y mettre,
et j'étais toujours aussi proche que possible
pour te rattraper juste à temps.

Mais, mon enfant chéri, mon trésor, mon petit,
cela a assez duré.
Maintenant que tu as vingt et un ans

et que tu t'es inscrit à ce cours de voltige aérienne,

je veux que tu comprennes bien

que si jamais toi et le ciel me tombez sur la tête,

je ne pourrai pas te rattraper juste à temps.

Il y a quand même des limites!

15

Aller au-delà des apparences :

l'enfant avec un handicap

L'autre jour, c'était la fête des Mères. Vous avez peut-être déjà entendu parler de la fête des Mères. Au cas où vous ne seriez pas au courant, c'est une journée où tous les enfants ont la chance d'apprendre à dire « merci » à leur maman et à apprécier ce tout ce qu'elle fait pour eux, même le fait de leur servir du brocoli. C'est aussi une journée où vous pouvez cueillir des fleurs pour votre maman dans n'importe quel jardin de votre rue sans qu'on vous oblige à dire « excusez-moi » à un voisin que vous ne connaissez même pas. Personnellement, je n'ai jamais fait face à ce genre de situation parce que je suis encore trop petit pour sortir de la maison sans que mon papa ou ma maman me surveillent. Mais c'est déjà arrivé à Martin, mon ami qui a deux papas, deux maisons, deux frères mais seulement un chien, et il m'a tout raconté.

Le jour de la fête des Mères, au déjeuner, j'ai aidé mon papa à faire des crêpes pour maman. Il m'a laissé casser deux œufs dans un grand bol, et l'autre œuf — celui dont nous n'avions pas vraiment besoin — a glissé par terre. Comme nous n'avons pas de chien qui aime lécher la nourriture sur le sol, il a fallu ramasser l'œuf et laver le plancher, et c'était très amusant. De plus en plus, j'ai la permission d'aider à nettoyer les dégâts que je fais. J'aime bien nettoyer les dégâts, parce que ça me permet d'en profiter encore plus longtemps, d'autant plus que ça ne m'empêche pas d'en faire des nouveaux. Alors ne vous inquiétez pas si vos parents veulent vous faire participer au nettoyage de vos dégâts.

Après le déjeuner, nous avons mis des beaux vêtements et nous sommes allés rendre visite à une famille qui a deux enfants, un papa et une maman. La maman s'appelle Madeleine. Vous m'excuserez, je ne me rappelle pas comment s'appelle le papa. Nous sommes allés fêter la fête des Mères avec eux parce que, d'après ma maman, la maman de Sébastien est une maman très spéciale, et ma maman sait tout ce qu'il y a à savoir sur les mamans. Si la maman de Sébastien est très spéciale, c'est parce que Sébastien est un enfant très spécial. La sœur de Sébastien s'appelle Anne. Elle est beaucoup plus vieille, car elle a peut-être neuf ans ou quarante-douze ans. Elle n'est pas aussi spéciale que son frère, mais je l'aime bien parce qu'elle m'écoute toujours, même quand je ne parle pas. Sébastien est plus vieux que moi, mais il n'est pas plus grand. C'est parce que ses os ne grandissent pas bien du tout, même si sa maman lui a donné plein de bons légumes à manger. Son visage est bizarre et ses yeux ne sont pas complètement ouverts. Il a le droit de sortir sa langue quand il veut, même devant les gens. Ma maman m'a dit aussi qu'il a un trou dans le cœur et qu'il doit parfois aller à l'hôpital pour faire soigner ses oreilles. Sébastien m'aime, je le vois bien, parce qu'il me donne de gros câlins.

En arrivant à la maison de Sébastien, nous nous sommes tous dit « Bonne fête des Mères », parce que c'est ce qu'on est supposé faire. On peut même le dire à quelqu'un qui n'est pas une maman et ça fait rire tout le monde. Nous avons mangé de très bons sandwiches. Il y avait aussi un gâteau avec des lettres et un gros soleil jaune. Je ne peux pas lire encore, sauf dans mes livres d'images; je ne comprenais donc pas ce que les lettres voulaient dire. Mais quand les lettres sont en chocolat, ce n'est pas grave, mon ventre les aime quand même. Puis, la maman de Sébastien a dit : « Aujourd'hui, c'est la fête des Mères, et tout le monde dit merci aux mères. Mais je veux rappeler à tout le monde que s'il y a des mères, c'est qu'il y a des enfants. Avoir des enfants est un immense privilège. Les enfants invitent toujours leurs parents à grandir et à vivre un voyage intérieur, dans des endroits insoupçonnés. Je suis extrêmement reconnaissante pour tout cela. »

Tous les gens ont applaudi pour montrer qu'ils aimaient ce que la maman de Sébastien venait de dire. Puis la maman de Sébastien s'est mise à pleurer un peu et elle a dit : « Quand Sébastien est né, j'étais vraiment découragée. J'avais l'impression que Sébastien n'avait pas ce qu'il fallait pour vivre une vie épanouie, et que je serais incapable de l'aider à vivre pleinement, selon ses capacités. Pendant des mois et même des années, j'avais l'impression que notre famille avait été frappée par un mauvais sort et que jamais nous ne serions à nouveau vraiment heureux. Je veux vous dire aujourd'hui que tout cela a changé. »

La maman de Sébastien a ensuite montré le gâteau. Il y avait un peu moins de soleil dessus, parce que Sébastien s'était amusé à mettre son doigt dans le glaçage et à le lécher avec sa grande langue. Mais les lettres en chocolat étaient encore là. La maman de Sébastien a dit : « Sébastien est devenu un prophète pour notre famille. Il parle au nom de la Vie et il nous invite sans cesse à embrasser la Vie et à danser avec elle. La danse de la Vie est faite de pas très complexes et il nous arrive de tomber face contre terre. Mais notre petit prophète est là pour nous rappeler que quand nous tombons, nous avons toujours la possibilité de nous relever. La Vie est là pour nous aider. En ce jour de la fête des Mères, nous voulons donner un autre nom à Sébastien, pour reconnaître ce qu'il fait pour nous. La Bible nous dit qu'Isaïe était un grand prophète qui parlait au nom du Seigneur. Alors, ensemble, accueillons Isaïe, notre prophète officiel. Nous sommes vraiment bénis de l'avoir avec nous. »

Quand la maman de Sébastien a eu terminé, toutes les grandes personnes pleuraient et regardaient le gâteau. Certaines des lettres étaient déjà parties, Sébastien ayant fini de régler le cas du soleil, mais ma maman pouvait encore lire ce qui était écrit : « Merci Isaïe ». Elle m'a expliqué ce que ça voulait dire. J'ai très bien compris, mais je voyais aussi qu'il fallait commencer à couper le gâteau avant que le prophète ne mange tout le glaçage. Alors j'ai dit bien poliment que j'avais très faim pour du gâteau. Madeleine — c'est la maman de Sébastien — a dit que c'était une très bonne idée de manger le gâteau maintenant : célébrer la Vie, ça peut prendre différentes formes. J'ai eu les lettres « I » et « s », de très bonnes lettres.

J'avais hâte de raconter à Grand-maman notre fête des Mères chez Sébastien, surtout que je n'avais pas vraiment compris tout ce qui s'était passé. C'est difficile de comprendre des choses quand on est en présence d'un gâteau au chocolat qui pourrait disparaître dans la bouche d'un prophète et que personne ne réalise qu'on a très faim. Grand-maman était très intéressée par ce que j'avais à dire — elle l'est toujours. Je pense qu'elle me considère comme un petit prophète dans ma propre famille, mais comme elle sait que je n'ai pas les compétences officielles, elle ne le dit pas tout haut.

Grand-maman s'est alors mise à me parler des rêves. Au cas où vous ne le sauriez pas, un rêve, c'est comme une histoire qui arrive durant la nuit et qu'on regarde comme on regarderait un film. Des fois, les histoires sont belles, des fois elles sont effrayantes, et des fois elles sont belles et effrayantes en même temps. Personnellement, je préfère les belles histoires comme celle où je vole dans un avion, mais il semble qu'on n'a pas le choix des histoires qui vont venir durant la nuit.

Grand-maman se souvenait d'un rêve que je lui avais déjà raconté. Je m'en souvenais aussi, parce que je ne suis pas porté à oublier les rêves où il y a des animaux. Dans mon rêve, il y avait un gros chien qui courait après moi pour me manger. J'avais très peur et j'essayais de m'enfuir, mais je ne pouvais pas courir assez vite pour me sauver. Alors, ma maman m'avait fait mettre des bottes de chat qui me faisaient voler très haut et le gros chien n'avait pas été capable de m'attraper. Après, le gros chien était tombé dans l'eau. Grand-maman m'a demandé à qui le gros chien me faisait penser. Est-ce que quelqu'un avait couru après moi et m'avait fait peur dernièrement? J'ai fermé mes yeux pour mieux voir le gros chien et, tout à coup, j'ai vu que c'était le chien de Martin, mon ami qui a deux papas, deux frères, deux maisons mais seulement un chien. C'est Martin qui avait envoyé son chien courir après moi dans mon rêve parce que je n'avais pas voulu lui remettre le camion qu'il m'avait prêté.

Grand-maman m'a expliqué que je venais de comprendre ce que mon rêve voulait me dire. Selon elle, nos rêves nous parlent bien après que nous soyons réveillés, pour nous aider à comprendre des choses de la vie. Elle a bien raison de dire cela. J'ai compris que je devais remettre le camion à Martin, même s'il avait brisé une de mes locomotives. Je n'aime pas être poursuivi par un gros chien la nuit. Mais Grand-maman a ajouté que j'aurais pu comprendre autre chose de ce rêve-là, par exemple que je ne devrais pas toucher à un chien que je ne connais pas. Chacun comprend ce qu'il peut de ses propres rêves.

Ça, c'est pour les rêves de nuit. Le jour, on ne rêve pas de la même façon que la nuit, parce qu'on n'a pas les yeux fermés assez longtemps. Mais c'est quand même un peu pareil, parce qu'il nous arrive tout le temps des histoires que nous pouvons regarder et essayer de comprendre. Ce n'est pas toujours facile de comprendre les histoires que nous vivons : certaines sont bien étranges et ce n'est pas nécessairement celles-là que nous aurions choisies. Ce que nous pouvons faire devant une histoire étrange que nous n'aurions pas nécessairement choisie, c'est de la regarder encore et encore jusqu'à ce que nous commencions à la comprendre et même à l'apprécier. Au début, l'histoire de Sébastien qui était un enfant spécial a pu paraître comme une histoire étrange impossible à comprendre, une sorte de mauvais rêve. Mais Madeleine et sa famille ont eu le courage de regarder encore et encore jusqu'à ce qu'ils en viennent à reconnaître Sébastien comme un prophète qui les invitait à danser avec la Vie.

Grand-maman m'a expliqué que la Vie nous donne de l'aide pour comprendre les histoires qui nous arrivent. Des fois, ce sont des amis qui offrent cette aide. Des fois, c'est notre famille. Des fois, ce sont des livres. Des fois, ce sont des prières ou autre chose. Je vous expliquerai ce que sont les prières une autre fois. Dans mon rêve de chien, c'est ma maman qui m'a aidé en me donnant des bottes de chat pour me permettre de voler et d'échapper au chien. Grand-maman croit que Madeleine et sa famille ont su accepter l'aide offerte par la Vie pour trouver la belle histoire qui était sous le mauvais rêve. Grand-maman les admire beaucoup d'avoir pu en venir à célébrer la venue de leur prophète. C'est d'ailleurs comme ça que nous avons eu le bonheur d'avoir un très bon gâteau au chocolat. Un gâteau n'est pas gâté par le fait que son glaçage soit en partie disparu dans le ventre d'un prophète, il faut comprendre cela.

J'ai demandé à Grand-maman ce que voulait dire la partie de mon rêve où le gros chien tombe dans l'eau. Grand-maman m'a dit que c'est moi qui devrais regarder mon rêve assez longtemps pour trouver une réponse. Mais elle m'a dit aussi que ce n'est pas possible de comprendre toutes les parties des histoires que nous vivons, alors de ne pas m'inquiéter si je ne parvenais pas à le faire. Il y a tant à regarder dans la vie, il faut choisir.

Nous sommes alors allés retrouver le Prince Igor, qui était en train de vivre toutes sortes d'histoires, les unes plus étranges que les autres. Il s'accordait un moment de repos pour rêver à des histoires de nuit, car il les trouve plus faciles à comprendre que les histoires de jour. Le Prince Igor n'a pas de Grand-maman à qui parler. Il a un chameau, mais ce n'est pas la même chose.

« *Tu es sorti de mes rêves pour entrer dans ma vie* »

Tu es sorti de mes rêves
pour entrer dans ma vie.
J'ai ouvert les bras pour t'accueillir
et j'ai vite réalisé que tu sortais
d'un très mauvais rêve.
Alors j'ai fermé les yeux pour ne plus te voir
et je me suis rendormie,
pour te donner la chance
de sortir de mes rêves
et d'entrer à nouveau dans ma vie.

Quand je me suis réveillée, tu étais toujours là,
exactement comme avant.
Encore une fois, j'ai fermé les yeux pour ne plus te voir
et j'ai souhaité me rendormir
pour te donner la chance
de sortir de mes rêves
et d'entrer à nouveau dans ma vie.

Quand je me suis réveillée, tu étais toujours là,
exactement comme avant.

J'étais en train de me refermer les yeux
quand je t'ai entendu m'appeler :
« Maman, maman, je sais que tu es là.
Sors de tes rêves et entre dans ma vie. »
J'ai finalement ouvert les yeux et je t'ai vu tel que tu es,
si beau, bien plus beau que dans le plus beau de mes rêves.
Et finalement, je suis entrée dans ta vie.

16

Créer un sens :

une aventure

Il m'est arrivé toute une aventure la semaine passée. Au cas où vous ne sauriez pas exactement ce qu'est une aventure, c'est comme une histoire dans un livre d'histoires, sauf que vous ne pouvez pas jeter un coup d'œil aux dernières pages pour savoir ce qui va arriver au petit garçon qui est perdu dans la forêt. Certaines aventures peuvent être très belles; d'autres peuvent être terrifiantes. Celle de la semaine passée était très belle mais aussi terrifiante. Avec les aventures, on peut être sûr d'avoir plein de surprises.

L'aventure a commencé après le petit déjeuner. Ma maman et mon papa m'ont dit d'aller trouver mon chapeau et de mettre mes espadrilles parce que nous allions sortir pour célébrer un très gros anniversaire. J'ai besoin d'aide pour mettre mes chaussures parce que mon pied gauche ne sait pas toujours laquelle est sa chaussure, même si mon pied droit sait habituellement laquelle est la sienne. Pendant que mon papa m'aidait, il m'a expliqué qu'aujourd'hui, c'était l'anniversaire de notre pays et que nous allions participer à une très grosse fête sur une colline. Un pays, c'est comme une très, très grande famille, sauf que la grande famille ne rentre pas toute dans une seule maison. Les gens de la famille vivent donc dans beaucoup, beaucoup de maisons et il est très difficile de les visiter toutes. Parfois, les gens de la très, très grande famille s'ennuient des autres personnes qu'ils n'ont pas le temps de visiter. Parfois ils ne s'ennuient pas.

Je suis monté dans ma chambre pour aller chercher mon crocodile. Habituellement, j'aime les aventures, mais quand je ne sais pas exactement ce qui va se passer, j'aime mieux amener mon crocodile avec moi, au cas où j'en aurais besoin. À première vue, on dirait que mon crocodile est en caoutchouc, parce qu'il est très souple et qu'il peut prendre différentes formes. Mais *moi*, je sais qu'il est entièrement fait de crocodile. Grand-maman m'a expliqué que mon crocodile m'a aidé à plusieurs reprises, et que toute l'aide qu'il m'a donnée est maintenant en moi. Je peux utiliser cette aide chaque fois que j'en ai besoin, même si mon crocodile n'est pas avec moi. C'est peut-être vrai, mais j'aime bien qu'il soit près de moi afin que les gens puissent bien voir ses grosses dents.

Mon papa et ma maman ont préparé un goûter, et nous sommes partis à l'aventure. Première surprise : nous n'avons pas pris la voiture. Nous avons marché jusqu'au bout de la rue et nous avons attendu un moment sur le coin. Puis nous sommes montés dans un gros autobus rouge et blanc. Je n'avais jamais eu l'honneur de monter dans un autobus et j'étais heureux d'en prendre un. J'ai pensé qu'il y avait peut-être un téléviseur dans l'autobus, parce que tout le monde regardait dans la même direction. Eh bien! il n'y avait pas de téléviseur. En fait, ce n'était vraiment pas nécessaire, parce qu'il y avait beaucoup de fenêtres et qu'on pouvait regarder dehors et voir des tas de choses, y compris le toit des voitures. Une fois dans l'autobus, mes parents m'ont invité à choisir un siège. J'en ai choisi un très beau et j'ai serré très fort la main de mon papa. Après un certain temps, j'ai choisi un autre siège, et nous avons tous changé de place. Par la suite, j'ai fait l'essai de plusieurs autres sièges. C'était très excitant. Il y avait beaucoup d'autres personnes dans l'autobus, chacune vivant sa propre aventure.

Une fois arrivés à l'endroit de la fête, ma maman m'a suggéré de remercier le chauffeur d'autobus pour la belle promenade. Le chauffeur d'autobus a dit que ça lui avait fait plaisir et qu'il espérait que j'aurais encore l'occasion de prendre son autobus. Nous sommes descendus et mon papa m'a dit de regarder autour de moi et de choisir ce que je voulais voir. Il m'a dit aussi de toujours tenir sa main très fort pour ne pas me perdre. Nous sommes d'abord allés voir un clown qui était à moitié terrifiant et à moitié drôle et qui m'a proposé de dessiner un drapeau sur ma joue. Au début, je n'étais pas sûr de le vouloir à cause de sa moitié terrifiante, mais j'ai fini par y consentir. Le clown m'a montré son travail dans un miroir et je dois avouer que j'étais assez heureux du résultat. Après, nous sommes allés voir des gens qui faisaient toutes sortes d'animaux avec des ballons. Puis ma maman m'a offert un gros cornet de crème glacée avec du chocolat sur le dessus. C'était toute une surprise, parce que nous n'avions même pas dîné! Nous avons ensuite trouvé un endroit pour nous asseoir sur notre couverture et nous avons écouté des gens chanter. D'autres gens dansaient et bougeaient leurs bras en l'air.

Moi, je ne dansais pas, parce que j'avais besoin de me reposer après ma longue promenade. J'étais donc assis là, profitant tout simplement de la musique, quand une grande fille qui dansait a marché sur ma main. Ça m'a fait mal. Je me suis tourné vers mon crocodile pour qu'il fasse peur à la grande fille, mais il n'était pas là. Immédiatement, j'ai senti des grosses bulles dans mon ventre. Mes yeux se sont mis à brûler et je ne voyais pas bien. J'ai commencé à pleurer. Ma maman et mon papa m'ont aidé à chercher mon crocodile, mais il n'était pas sous la couverture, ni dans le panier de pique-nique, ni dans la poche de la veste de mon papa. Il n'était nulle part. Si vous avez déjà perdu votre crocodile, vous savez ce que ça fait à votre corps. Perdre son crocodile, c'est comme avoir le corps retourné sens dessus dessous, mais en pire.

Mon papa m'a pris dans ses bras. Il m'a dit que nous retournerions aux endroits que nous avions visités pour voir si le crocodile était resté là. Je savais bien que mes parents étaient inquiets pour mon crocodile. Ma maman a repris la couverture et le panier à pique-nique et nous avons commencé à refaire notre parcours. Partout où nous allions, pas de crocodile. Et chaque fois que nous ne le trouvions pas, j'avais encore plus peur, ce qui est bizarre, étant donné que dès la disparition de mon crocodile j'éprouvais déjà le maximum de peur. Parfois, je pensais au Prince Igor et à comment il devait s'être senti lorsque les méchants avaient pris son ourson en peluche. Je pleurais alors encore plus. Quand nous avons eu fini de retracer notre chemin, j'ai arrêté de pleurer parce que j'étais très fatigué. Mon papa m'a dit : « Félix, même si tu ne peux pas voir ton crocodile, pourquoi ne lui demandes-tu pas où il se trouve et s'il veut que nous le retrouvions? » Vous trouvez peut-être étrange que mon papa me dise ça, mais il travaille avec des personnes qui sont capables d'entendre les voix de gens invisibles, et il a appris beaucoup de choses avec elles.

Alors j'ai dit : « Crocodile, où es-tu? » Mais mon crocodile ne m'a pas répondu. Je l'ai donc appelé encore et encore, puis tout à coup, mon crocodile a dit à ma maman où on pouvait le trouver. Je pense que mon crocodile a donné la réponse à ma maman parce qu'elle n'était pas aussi occupée que moi. Tout ce qu'elle avait à faire, c'était de tenir la couverture et le panier à pique-nique. Ma maman a dit : « Félix, nous n'avons pas vu ton crocodile depuis que nous sommes descendus de l'autobus. Peut-être qu'il y est resté. » À l'instant même, j'ai eu une image du dernier siège que nous avions occupé. Mon crocodile était là à regarder par la fenêtre tous les gens qui vivaient une aventure ce jour-là. J'en ai informé mon papa et ma maman. Mon papa nous a dit de l'attendre pendant qu'il allait à l'arrêt d'autobus. Nous ne le voyions pas mais je sais qu'il a parlé au chauffeur d'un des autobus. Le chauffeur a compris ce qui se passait, parce qu'il avait de jeunes enfants, et il a appelé la dame qui sait où sont tous les autobus de ville. La dame a dit que quelqu'un avait trouvé mon crocodile et qu'on l'avait amené jusqu'au garage des autobus. Mon papa m'a expliqué que mon crocodile était en sécurité, mais qu'il était très fatigué après le long voyage. Les gens au garage prenaient bien soin de lui. J'espérais seulement qu'ils n'essaieraient pas de lui faire manger du brocoli.

Nous sommes restés à la fête encore un peu, mais je ne m'amusais plus autant, même s'il y avait des avions qui dansaient dans le ciel. Ma maman, mon papa et moi avons donc décidé de rentrer à la maison et nous avons repris l'autobus. Je n'ai pas vu beaucoup les paysages car je me suis endormi. C'est très fatigant de s'inquiéter pour quelqu'un qui est important pour soi. Ma maman a dû me réveiller pour me faire descendre de l'autobus et marcher jusqu'à la maison. Puis mon papa et moi avons pris la voiture pour aller au garage des autobus et retrouver mon crocodile. Les gens l'avaient mis sur une tablette réservée aux animaux importants. Il dormait. Je lui ai demandé de remercier les gens et je n'ai pas lâché sa main jusqu'à ce que nous soyons rendus à la maison. Je l'ai même amené dans mon lit pour dormir cette nuit-là, histoire d'être bien sûr qu'il ne s'échapperait plus.

Grand-maman m'a écouté très attentivement quand je lui ai raconté mon aventure. Elle aime bien mon crocodile parce qu'il m'aide souvent. Elle aime aussi beaucoup les aventures parce qu'elle en a eu plusieurs dans sa vie, mais jamais dans un désert comme le Prince Igor. Grand-maman m'a expliqué que la Vie est une aventure merveilleuse, mais si grande qu'on ne peut pas la voir en entier. On sait peut-être comment l'aventure de sa vie a commencé, mais on ne sait pas comment elle va finir — elle est simplement trop grande. Et comme c'est amusant de savoir comment une aventure se termine, on peut avoir beaucoup de *petites* aventures et voir comment chacune finit. Ainsi, toutes nos petites aventures s'additionnent pour faire partie de la grande aventure de la Vie. (Rappelez-vous que la Vie est ce qui fait bouger les gens pendant leurs aventures.)

Grand-maman dit que la partie la plus intéressante d'une aventure, c'est la fin, parce que la fin d'une aventure est un mystère, et que les mystères nous empêchent de nous ennuyer. Je le savais déjà, parce que Grand-maman aime les mystères, surtout depuis qu'elle ne se sent plus obligée de les comprendre. Elle me dit que certains mystères l'embêtent, mais elle a décidé de prendre ceux qui sont embêtants avec ceux qui sont intéressants. Grand-maman a ajouté quelque chose d'étonnant : on peut vraiment changer la fin d'une aventure une fois que l'aventure est terminée. Par exemple, la fin de mon aventure à la fête de notre pays pourrait être que j'ai appris une chose très importante, qui est de ne jamais lâcher la main de mon crocodile quand je voyage avec lui. La fin de mon aventure pourrait aussi être que pendant tout ce temps, j'ai reçu de mon papa et de ma maman toute l'aide dont j'avais besoin, et qu'il est bon de savoir qu'ils sont là pour moi. Ou bien la fin de mon aventure pourrait être que le monde est rempli de gens qui sont prêts à s'aider les uns les autres, et que je peux grandir et devenir comme eux.

Il y a donc plusieurs fins possibles à une aventure. On peut choisir l'une ou l'autre ou même plusieurs en même temps si l'on veut. On peut même choisir une fin et garder cette fin-là pour un moment, et puis décider, pour une raison ou pour une autre, que l'on veut changer. Ça dépend de chacun. Une personne pourrait même choisir une fin qui n'est pas agréable ou qui ne l'aide pas du tout. Par exemple, je pourrais choisir de penser que j'ai été un méchant petit garçon parce que je n'ai pas pris soin de mon crocodile. Mais pourquoi est-ce que je voudrais choisir cette fin-là quand il existe d'autres fins qui m'aideront à apprendre et à bien grandir? Puisque Grand-maman parlait d'aventures, j'ai proposé d'aller voir ce qui arrivait au Prince Igor. La dernière fois que nous l'avions vu, il voyageait sur une montagne et il avait été invité à un grand festin. Chose intéressante, les gens qui l'avaient invité lui ont suggéré d'amener son chameau avec lui pour qu'ensemble ils puissent profiter du festin sans inquiétude.

« Mon cher petit-fils »

Mon cher petit-fils,
alors que tu pars découvrir le monde
et, avec un peu de chance, le sauver,
je veux te laisser quelques mots de sagesse,
les mots mêmes que ma grand-mère m'a laissés
lorsque, jeune homme moi aussi,
je suis parti à la découverte du monde.

Elle m'a dit : « Au revoir, mon chéri.
Sois prudent, et prends bien soin de tes sous-vêtements. »
« Prendre bien soin de mes sous-vêtements?
Que voulez-vous dire? »
Mais ma grand-mère n'était pas de celles
qui croient devoir expliquer

toutes leurs actions ou leurs paroles.

Elle s'est contentée de m'embrasser.

J'ai voyagé à travers le monde.

J'ai escaladé des sommets enneigés,

exploré les mers les plus profondes,

traversé des déserts et des plaines,

je me suis frayé un passage

à travers des villages et des villes,

j'ai mangé toutes sortes de mets étranges,

contracté toutes sortes de fièvres,

connu la douleur et le deuil, la découverte et l'allégresse.

Et à travers toutes mes aventures,

en mémoire de ma grand-mère bien-aimée

qui est décédée pendant que j'étais en Afrique,
j'ai toujours pris bien soin de mes sous-vêtements.

Sur le chemin du retour, j'ai rencontré ta grand-mère,
et c'est alors qu'a commencé la véritable aventure :
celle d'élever ton père et ses sœurs.
Nous avons toujours habité la même ville,
la même maison,
mais ton père et ses sœurs se sont toujours assurés
de faire voyager leurs parents!
Aujourd'hui, en ce jour
où tu entreprends ta propre aventure,
je te salue et je te dis :
« Au revoir, mon chéri.

Sois prudent

et prends bien soin de ce que personne ne peut voir,

qui est à toi et à personne d'autre.

Prends bien soin de ce qui est proche de toi

et te touche avec douceur.

Prends bien soin de tes sous-vêtements. »

17

Juste pour le plaisir :

les jouets invisibles

Dimanche dernier, c'était la fête des Pères. Cette journée-là a été inventée pour aider les papas à se rappeler à quel point ils sont heureux d'avoir des enfants. Il arrive aux papas de devenir très fatigués et de l'oublier. Ça leur fait du bien, de temps en temps, qu'on leur rappelle leur bonheur. Je dois dire cependant que mon papa n'a jamais oublié combien il est heureux de m'avoir. Je le sais parce qu'il joue souvent avec moi sans que j'aie à le lui demander.

Dimanche dernier, mon papa m'a réveillé tôt. Nous avons déjeuné, parce que chez moi, même les jours spéciaux, tout le monde doit prendre un bon déjeuner. Nous nous sommes assis lui et moi, et nous avons fait des projets pour la journée, pendant que ma maman dormait encore. Ma maman aime bien faire la grasse matinée le jour de la fête des Pères. Papa a proposé d'aller jouer dehors pour la journée, ou au moins pour l'avant-midi. Pas besoin de décider tout de suite.

Quand on joue, on n'a pas à tout décider à l'avance; ça ressemblerait beaucoup trop au travail. J'ai demandé à papa si nous y allions avec nos tricyclettes, mais il a dit que non, nous partirions à pied. J'ai aussi demandé quels jouets je devais apporter, mais il a répondu que nous n'apporterions rien, simplement nous-mêmes. Ça suffirait parce que notre corps et nos idées suivraient automatiquement. Nous n'avions besoin de rien de plus.

Quand est venu le temps du départ, nous nous sommes dirigés vers la porte de devant. Juste avant de l'ouvrir, Papa m'a dit : « Tu sais, Félix, les gens qui savent bien jouer et qui jouent régulièrement aiment faire les choses à l'envers. Souvent, les bonnes idées de jeu commencent quand on fait les choses à l'envers. Si tu fais toujours les choses à l'endroit, tu vas peut-être prendre l'habitude de travailler tout le temps. Ce n'est pas du tout une bonne habitude. » Alors Papa a suggéré que nous sortions par une autre porte, ou même par une fenêtre, simplement pour nous habituer à faire les choses à l'envers. J'ai choisi la fenêtre de ma salle de jeu, parce que je la connais très bien. Je regarde tout le temps par cette fenêtre. Ça me semblait étrange de sortir par une fenêtre quand nous aurions pu passer par la porte, mais j'aimais bien l'idée, surtout parce que mon papa était avec moi. J'espérais que les voisins nous voient. Ça les rendrait heureux de nous voir jouer.

Nous avons commencé à marcher le long de notre rue, puis Papa s'est arrêté en face de la maison de Justin. Justin a deux mamans. Ils vivent tous dans la même maison, parce que ses deux mamans s'aiment. Vous pensez peut-être qu'avoir deux mamans, ça veut dire avoir deux papas, comme mon ami Martin. Non, ce n'est pas le cas. Il n'y a pas de papa chez Justin. Papa m'a dit : « Invitons Justin à jouer avec nous aujourd'hui, parce qu'il n'a pas de papa. » J'aime bien Justin, même si je trouve que l'une de ses mamans ne rit pas assez. J'ai donc répondu : « D'accord. » Nous avons sonné à la porte. Justin était déjà prêt à venir avec nous. Mon papa lui a demandé de ne rien apporter à part lui-même; c'est comme ça que ça se passait aujourd'hui. Justin a compris tout de suite, même s'il n'est pas habitué à avoir un papa qui lui dise quoi faire. Il a dit : « D'accord. » Il a envoyé la main à ses deux mamans, puis nous sommes repartis.

Nous avons continué à marcher. Après un bout de temps, nous sommes arrivés à un parc, juste au moment où je me demandais si nous avions commencé à jouer. Avec mon papa, il est parfois difficile de dire quand on est en train de jouer et quand on ne l'est pas. J'ai cru que nous allions nous arrêter jouer sur les balançoires, mais Papa a traversé le parc sans s'arrêter. Nous sommes arrivés devant l'une des deux maisons de Martin. Martin est mon ami qui a deux papas, deux maisons, deux frères mais un seul chien. Martin sait donc beaucoup plus de choses que moi, et parfois ça me fait un peu peur. Papa nous a dit, à Justin et à moi : « Martin a deux papas, mais aujourd'hui le papa qui est dans cette maison doit dormir parce qu'il a travaillé toute la nuit à éteindre un gros incendie. Il n'a pas le temps d'être heureux aujourd'hui. Son autre papa est dans l'autre maison et il ne peut pas venir jouer. Je suis sûr que Martin n'aurait pas d'objection à passer la journée avec nous — il a l'habitude d'avoir plus d'un papa, alors ce ne serait pas un problème pour lui. » Eh bien! me croirez-vous? Martin était à la porte, prêt à venir jouer avec nous.

Nous sommes repartis de nouveau, Martin marchant d'un côté de mon papa et moi de l'autre, tout en tenant la main de Justin. Je ne savais toujours pas si nous avions commencé à jouer, mais j'avais l'impression que oui, parce qu'il y avait comme un sourire dans mon ventre. Nous avons continué vers la maison de Michèle. Michèle a un papa dans sa maison, mais son papa ne peut pas marcher parce que ses jambes ne fonctionnent pas bien. Il ne peut donc pas jouer à des jeux où l'on a besoin de ses jambes. En général, il se rappelle assez bien qu'il est heureux d'avoir des enfants, mais il lui arrive parfois de l'oublier. Il se met alors à pleurer et Michèle n'aime pas ça. Aujourd'hui, il ne pleurait pas et il a dit à Michèle de bien s'amuser. Il lui a donné un gros câlin; elle a donc su qu'il était sincère.

Nous avons repris le chemin du parc, avec Michèle à nos côtés. Mon papa nous a demandé de choisir un arbre qui pourrait nous dire quelque chose. Au début, nous ne savions pas trop ce qu'il voulait dire. Papa nous a donc expliqué que si on écoute attentivement, certains arbres peuvent parler. Martin a choisi le plus gros arbre, et nous sommes tombés d'accord avec lui. Nous nous sommes assis dos à l'arbre, et Papa nous a demandé de faire silence et de sentir à quel point l'arbre était heureux de nous voir en ce jour de la fête des Pères. Nous pouvions le sentir avec notre dos ou avec nos bras et nos mains en les serrant autour de l'arbre. Michèle a dit que l'arbre faisait un bruit qui ressemblait à un tout petit moteur. Justin a dit qu'il avait l'impression qu'il y avait des bourdons dans l'arbre. Nous nous sommes tous mis à crier en entendant cela, mais mon papa nous a encore demandé de faire silence. Il nous a expliqué qu'en touchant l'arbre, Justin avait *pensé* à des bourdons, mais ça ne voulait pas dire qu'il y en avait.

Mon papa nous a ensuite demandé de nous coucher sur le dos au pied du gros arbre pour regarder le ciel à travers les branches. Il nous a d'abord fait chercher des triangles, puis des dessins d'animaux dans les feuilles et dans les branches. J'ai été le premier à voir le canard, même si Martin disait que c'était une poule. J'ai poussé Martin pour lui montrer que c'était un canard, et Martin m'a donné un coup de pied sur la jambe. Mon papa s'est tout de suite assis entre nous et nous a demandé de retrouver notre animal. Papa nous a expliqué qu'une tache dans un arbre peut aussi bien être un canard qu'une poule — ça dépend de la façon dont on la regarde. Il a dit que la tache lui faisait penser à une théière. Je n'ai pas trouvé ça juste, parce que nous n'étions pas en train de chercher des choses de cuisine.

Après, nous avons regardé les nuages pour y voir de jolis dessins. J'ai vu un très bel ourson en peluche, mais plus je le regardais, plus il ressemblait à un crocodile. Ensuite, nous avons joué à courir pour attraper l'ombre des autres et marcher dessus. C'était amusant parce nous pouvions marcher sur l'ombre d'un autre joueur sans lui faire mal. Si nous étions fatigués de courir, nous pouvions nous réfugier sous le gros arbre. L'ombre du gros arbre cachait la nôtre, alors personne ne pouvait nous attraper.

Jouer demande beaucoup d'énergie et nous commencions à avoir faim. Papa nous a ramenés à la maison pour voir s'il y avait quelque chose à manger. Surprise! Les mamans de Justin étaient là, et celle de Michèle aussi. Le papa de Martin avait fini sa sieste et était venu nous rejoindre. Il souhaitait passer la fête des Pères avec Martin. Ça me faisait plaisir, parce que Martin est toujours plus gentil quand un de ses papas n'est pas loin. Ma maman et les autres grandes personnes avaient préparé un beau repas sans trop de légumes. Nous avons eu droit à un gâteau de la fête des Pères avec plein de lettres sur le glaçage. Après un certain temps, les autres sont rentrés chez eux. Ma maman m'a dit que j'avais besoin d'une sieste, et pour une fois, j'étais d'accord. Maman et moi, nous ne sommes habituellement pas sur la même longueur d'ondes quand il est question de sieste, mais cette fois-ci, j'ai accepté d'en faire une. D'abord, j'étais fatigué, car le jeu, c'est du gros travail. Et je voulais aussi voir des belles images dans ma tête, et pour ça on a besoin de calme.

Grand-maman était très heureuse d'apprendre que mon papa et moi étions sortis pour jouer, le jour de la fête des Pères. Elle sait que les parents travaillent fort pour bien prendre soin de leurs jeunes enfants, et même de leurs enfants plus grands. Ça lui fait donc plaisir d'entendre que les papas sont heureux d'avoir des enfants, malgré tout ce travail. Elle voulait savoir exactement quand et comment j'avais su que j'étais en train de jouer. Personne n'aurait pu dire en me regardant que j'étais en train de jouer, parce que je n'utilisais ni mes jouets, ni mon ballon, ni ma tricyclette. Et pourtant, j'avais joué beaucoup pendant cette sortie. Quand le jeu avait-il commencé? me demandait Grand-maman. Je ne savais pas comment lui répondre. Grand-maman m'a donc posé une autre question pour m'aider : « Quelle est la première chose que tu as faite qui était vraiment différente de ce que tu fais d'habitude? » Je savais la réponse à cette question-là : sortir de la maison par la fenêtre. Je m'étais senti vraiment bizarre : c'était à la fois effrayant et amusant. Je voulais que les voisins nous voient, mais j'étais un peu gêné. Grand-maman pensait que c'était probablement à ce moment-là que j'avais commencé à jouer, et que je l'avais su quand j'ai senti comme un petit sourire dans mon ventre. Souvent, quand on commence à jouer, on se sent un peu bizarre, parce que les règles pour jouer ne sont pas les mêmes que celles pour travailler. Quand on joue, on invente pratiquement les règles au fur et à mesure. Même si ça peut être très excitant, on se sent un peu bizarre, surtout si c'est nouveau ou si on n'a pas joué depuis longtemps.

Grand-maman m'a expliqué que c'est très pratique pour tout le monde, y compris les grandes personnes, de jouer avec des jouets invisibles. Quand vos jouets sont en vous, ils ne pèsent rien et ils ne prennent pas de place dans votre sac à dos. Ils laissent donc toute la place pour des collations ou des vêtements de rechange, si vous êtes d'un âge où un changement de vêtements peut parfois s'avérer nécessaire. Les jouets qui sont en vous vous permettent de voir les choses ordinaires et les gens d'une manière nouvelle et intéressante. Vous ne vous ennuyez donc jamais! Avec une bonne collection de jouets à l'intérieur de vous-même, vous pouvez inventer de nouvelles images chaque fois que vous en avez besoin. C'est très pratique quand vous essayez de finir un casse-tête! Cela, je l'ai bien compris, parce que quand j'étais petit il manquait une grosse pièce à l'un de mes casse-tête. Un jour, ma maman a trouvé la pièce dans le trou du plancher d'où sort l'air de la fournaise, et j'ai finalement réussi à voir l'autre partie du lion. (Je dois cependant vous avouer que je ne raffole pas des fournaises, parce qu'elles vivent dans le noir.)

Grand-maman dit qu'il y a des gens qui pensent que le jeu et le travail ne peuvent pas aller ensemble, mais ils le peuvent. Imaginez un petit arbre de Noël avec beaucoup de lumières rouges d'un côté (ce serait le côté travail) et plein de lumières bleues de l'autre (ce serait le côté jeu). Si vous faites lentement tourner l'arbre, vous verrez des lumières rouges, puis des lumières bleues, puis encore des lumières rouges. C'est très beau. Mais si vous faites tourner l'arbre très vite, il va ressembler à un arbre rempli de jolies lumières violettes. C'est super joli, surtout que le violet est ma couleur préférée! Les jouets en nous sont ce qui permet au travail et au jeu d'illuminer ensemble.

« Je te regarde jouer »

Je te regarde jouer
avec application et pourtant si librement.
Tu n'as pas l'air de comprendre que ce sont les locomotives
et pas les avions qui roulent sur les rails.
Tu n'as pas l'air de comprendre qu'on doit assembler
les casse-tête le dessin vers le haut.
Tu n'as pas l'air de comprendre
que les blocs d'un ensemble de jeu
devraient rester dans cet ensemble.
Tu n'as pas l'air de comprendre que les oursons en peluche
ne mangent pas de camions, si petits soient-ils.
Tu n'as pas l'air de comprendre qu'un banc de piano
n'est pas un tunnel ouvert.
Tu n'as pas l'air de comprendre que la banane est un fruit,

pas un combiné de téléphone.

Tu ne comprends tout simplement pas les règles de jeu.

Et soudain je me demande ce qui m'est arrivé.

Où donc ai-je appris

que les instructions doivent être suivies, sinon…?

Où donc ai-je appris

que les échéances doivent à tout prix être respectées,

et les règles, jamais brisées?

Où donc ai-je appris

que dans la vie, tout doit être remis dans la bonne boîte?

Où donc ai-je appris

que les choses doivent toujours aller dans une seule direction

— la bonne, bien entendu?

Quand ai-je arrêté de penser,
de ressentir, de risquer, d'inventer?

Tu lèves les yeux vers moi,
avec ce magnifique sourire qui éclaire jusqu'à ton regard.
« Papa, viens jouer avec moi. »
« Oh oui! Oui! S'il te plaît! »

18

Faire ses adieux : la mort d'un animal

Dans notre rue, tout le monde sait ce qui est arrivé à Felicia et à sa famille. Mais pour ceux qui n'habitent pas dans notre rue, je vais vous le dire. Ça va vous intéresser, parce que c'est une histoire au sujet d'un petit chien, et aussi parce que c'est une histoire triste. Les histoires tristes peuvent être assez intéressantes, parce qu'elles peuvent vous faire sentir vraiment heureux d'avoir une maman et un papa. C'est ainsi que les histoires tristes peuvent devenir des histoires heureuses, même si on ne le sait pas au début.

L'histoire s'est passée il y a deux semaines, mais elle avait commencé avant. Les parents de Felicia lui avaient offert un petit chien. C'était leur façon de lui dire qu'ils étaient désolés de lui avoir apporté un petit frère alors qu'elle avait précisément demandé une petite sœur. Felicia n'a pas une très haute opinion des garçons; elle a déjà un grand frère et deux cousins qui sont des garçons. Je dois cependant vous dire que Felicia m'aime bien, même si elle sait que je suis un garçon. C'est probablement parce que moi, j'aime bien Felicia même si elle est une fille.

Felicia a appelé son chien Pétunia. Si elle m'avait consulté sur le choix d'un nom pour son petit chien, je lui aurais suggéré un vrai nom de chien, comme Croco ou Speedo. Mais Felicia fait partie des libres penseurs, alors elle ne m'a pas demandé mon opinion. Je la lui ai donnée quand même, et nous avons eu une sorte de petite dispute qui heureusement n'a pas duré longtemps. Je n'aime pas me disputer avec mes amis qui ont un chien ou même un chat. Ils pourraient m'empêcher de les tenir dans mes bras. Finalement, Felicia et moi avons fini par nous mettre d'accord : Pétunia était le bon nom pour son petit chien. Felicia m'a donc laissé le prendre et jouer avec lui.

Mais un jour, une chose terrible est arrivée. Un après-midi, la maman de Felicia était en train de reculer sa voiture dans l'entrée. Elle allait très lentement, parce que c'est comme ça que les papas et les mamans reculent leurs voitures. Elle s'est assurée que le grand frère de Felicia n'avait pas laissé sa bicyclette dans l'entrée, comme il a l'habitude de le faire. Mais elle n'a pas vu que Pétunia avait trouvé le moyen de s'échapper de la cour en passant sous la clôture et qu'elle se tenait dans l'entrée. La maman de Felicia a frappé Pétunia avec la voiture. Pétunia a eu toutes les pattes cassées sauf deux. La maman de Felicia a appelé à l'aide, et le papa de Felicia et une voisine sont accourus. La voisine a offert de s'occuper du bébé. Felicia, sa maman et son papa ont enveloppé Pétunia dans une couverture et l'ont amenée à l'hôpital pour les chiens. Felicia pensait que le docteur réparerait les pattes de Pétunia comme il avait réparé le bras de son frère quand il était tombé de l'arbre. Mais la chose qui était déjà terrible est devenue plus terrible encore : le docteur a annoncé que le dos de Pétunia aussi était cassé et qu'il allait devoir endormir Pétunia. Le papa de Felicia lui a expliqué que c'était une autre façon de dire que Pétunia était trop blessée pour continuer à vivre et qu'elle allait mourir. Felicia pensait qu'elle connaissait ça, la mort. En effet, elle avait déjà regardé le film où le papa du petit lion meurt et elle avait vu de vrais animaux vivants morts sur le bord de la route en allant visiter ses grands-parents. Mais elle a découvert qu'elle ne savait absolument rien sur la mort de Pétunia. C'était horrible.

Entre temps, tout le monde dans la rue qui aime les chiens ou la famille de Felicia avait entendu parler du terrible événement. Ma maman m'a raconté ce qui s'était passé et je me suis senti vraiment mal. Nous surveillions la rue et quand nous avons vu la voiture de Felicia revenir, nous sommes allés parler avec elle et sa famille pour leur dire combien nous étions désolés et leur demander si nous pouvions aider. Mon papa m'a expliqué que c'est ce qu'il faut faire quand quelqu'un qu'on connaît vit un événement terrible. Le papa de Felicia a dit que Felicia semblait aller bien. Elle était en train de prendre une collation. Il m'a demandé si je voulais aller la rejoindre. La maman de Felicia s'est jetée dans les bras de ma maman. Elle pleurait et répétait sans arrêt : « Je me sens tellement coupable! » Ma maman lui disait : « Ce n'est pas de ta faute, tu ne pouvais pas savoir, c'est un accident. » Mais ça ne l'empêchait pas de pleurer. Je ne savais pas ce que « coupable » voulait dire, mais j'ai décidé de ne pas le demander. Ça pouvait attendre la prochaine fois que je verrais Grand-maman.

Felicia et moi avons mangé une bonne collation. Elle m'a tout raconté sur le docteur des chiens et comment ça s'était passé. D'après ce que je comprends de la mort, les gens qui sont morts disparaissent, alors je voulais savoir si Pétunia avait déjà disparu. Je voulais aussi savoir si le docteur avait mis Pétunia dans la boîte de recyclage. Felicia m'a dit que c'était l'idée la plus stupide qu'elle ait jamais entendue de toute sa vie. Elle a dit que le docteur allait mettre Pétunia dans un bel endroit paisible jusqu'à ce qu'elle disparaisse complètement. Toute sa famille ira chez sa grand-mère et rapportera un arbre de sa forêt. Ils le planteront dans la cour chez eux en mémoire de Pétunia. C'est ce que son papa lui avait dit. Eh bien! si ce n'est pas du recyclage, ça, je ne sais pas ce que c'est. J'ai dit à Felicia que mon idée de recyclage n'était pas si stupide que ça après tout. Felicia m'a répliqué que ma collation venait de se terminer à l'instant même.

Plus tard, nous sommes retournés à la maison, parce que l'heure du dodo approchait et aussi parce que la vie continue, comme mon papa l'a dit en revenant à la maison. J'aime bien l'idée de la vie qui continue, mais ce soir-là, j'aurais préféré qu'elle ne continue pas avec l'heure du dodo. Habituellement, l'heure du dodo n'est pas le moment le plus agréable de la journée, et ce soir-là, ça ne l'était vraiment pas. Ma tête et mon cœur étaient trop remplis de l'événement horrible de la journée, et mon lit était trop petit pour contenir tout cela. Mes animaux ont dû dormir par terre, sauf mon ourson en peluche, bien sûr. Ma maman et mon papa sont venus tous les deux me mettre au lit. Habituellement, ils font les choses à tour de rôle. Mais ce soir-là, ils voulaient s'assurer que j'allais bien. C'est ainsi qu'une histoire d'horreur peut quand même contenir des petits morceaux de bonheur.

Le lendemain, j'ai demandé à Felicia si ses parents lui achèteraient un autre chien. Tout de suite après l'accident, sa maman lui avait dit qu'ils lui en trouveraient un autre. Mais plus tard, quand ils ont su que Pétunia deviendrait un chien disparu, le papa de Felicia lui a dit que c'était à elle de prendre la décision. Elle devrait se décider quand Pétunia aurait suffisamment disparu pour laisser assez de place pour un autre chien. Le moment venu, Felicia le sentirait dans son cœur. À ce moment-là, Pétunia aurait complètement disparu, mais elle commencerait à apparaître dans le cœur de Felicia, un peu comme un esprit ami. Felicia s'intéresse beaucoup aux esprits. L'an dernier, à l'Halloween, elle s'est même déguisée en fantôme. Habituellement, c'est un déguisement pour les garçons.

Quelques jours plus tard, Felicia m'a raconté que plusieurs personnes lui avaient dit de belles choses au sujet de Pétunia, mais que d'autres lui avaient dit des choses qu'elle ne comprenait pas ou qui étaient tout simplement stupides. Et quand Felicia dit que quelque chose ou que quelqu'un est stupide, c'est précisément ce qu'elle veut dire. Il y a des gens qui lui ont dit que le petit chien était parti au paradis des chiens. Ça n'a pas du tout aidé Felicia, parce qu'elle n'a aucune idée où se trouve le paradis des chiens. Pour elle, c'était une information complètement inutile. Je comprends ça. Quand ma maman sort, elle me dit toujours où elle va et quand elle va revenir. La seule chose qui m'intéresse, c'est « quand elle va revenir ». Où elle s'en va ne m'intéresse pas. Si je suis d'humeur à m'ennuyer d'elle, je vais m'ennuyer d'elle, peu importe où elle va. Entendre dire que Pétunia était partie au paradis des chiens ne réconfortait pas Felicia. Ce qu'elle voulait savoir, c'est quand Pétunia allait revenir. C'était avant qu'elle comprenne que disparaître, ça veut dire ne jamais, jamais revenir.

Grand-maman a aimé cette histoire, même s'il s'agissait d'une histoire triste, parce que selon elle, toutes les histoires font partie de la Vie, même les tristes. J'ai l'impression qu'elle a pas mal d'expérience avec cette sorte d'histoires, parce qu'elle est très vieille. Elle était un peu triste elle-même, parce qu'elle aime les petits chiens et n'aime pas entendre dire qu'il leur est arrivé un malheur. De plus, elle est toujours un peu triste quand elle sait que j'ai vécu un événement terrible. Grand-maman m'a expliqué ce que « coupable » voulait dire. C'est ce que je ressens quand je sais que j'ai fait quelque chose qui pourrait entraîner un long temps de réflexion. Quand je ne fais pas de bruit pour que mon papa et ma maman ne m'entendent pas et que je me cache derrière quelque chose ou dans une autre pièce pour qu'ils ne me voient pas, c'est souvent un très bon signe que je fais quelque chose dont je vais finir par me sentir coupable. Grand-maman m'a expliqué que la culpabilité peut m'aider à mieux me comporter. C'est du moins ce qu'elle espère.

Quand il se passe quelque chose de terrible, les gens réagissent souvent en se sentant coupables de ce qui est arrivé, même si ce n'est pas du tout leur faute. Ça ne me semble pas être une chose très utile à faire, surtout dans le cas d'un accident, comme ce qui est arrivé à Pétunia. J'ai demandé à Grand-maman pourquoi. Elle m'a expliqué que les mamans et les papas aiment tellement leurs enfants que c'est très dur pour eux quand il leur arrive quelque chose de terrible. Les parents veulent de tout leur cœur leur enlever la douleur. S'ils pensent que la douleur est arrivée parce qu'ils ont fait quelque chose de mal, ils croient que tout ce qu'ils ont à faire, c'est de mieux se comporter. Selon eux, ça pourrait prévenir tous les accidents et les autres événements terribles. Bien sûr, ça ne se passe pas ainsi. C'est ce qu'on appelle une illusion. Une illusion, c'est comme un rêve qu'on fait quand on ne dort pas.

Après cette discussion, nous devions aller vérifier si le Prince Igor allait bien. Quand quelque chose de terrible arrive à quelqu'un qu'on aime, comme Felicia et Pétunia, on veut s'assurer que les autres personnes qu'on aime vont bien. Eh bien! le Prince Igor allait bien, même s'il était toujours inquiet pour son ourson en peluche (qui ne le serait pas?). Un esprit lui avait donné un autre indice sur l'endroit où les méchants ont mis son ourson. Grand-maman ne m'a pas encore dit quel est l'indice. C'est un petit mystère.

« Jusqu'à ce que la mort nous sépare »

« Jusqu'à ce que la mort nous sépare. »
Nous avons lu le contrat et nous avons ajouté,
en petits caractères :
« Mais pas avant que nous soyons très vieux
et que nous ayons beaucoup d'enfants
et de petits-enfants. »

Mais il semble que le cancer ne sait pas lire.
Ou peut-être qu'il ne lit pas les petits caractères,
ou peut-être qu'il ne se soucie pas des contrats,
des enfants et des petits-enfants.

« Sois confiante, m'as-tu dit en partant.
Jamais je ne t'abandonnerai.
Je serai là, bien présent,
derrière chaque arbre
et à chaque coin de rue. »

Je te cherche toujours, partout,
et pourtant je ne te vois pas.
Je t'appelle
et je ne t'entends pas.
Je me tourne pour te toucher
et ma main ne touche que le vide.

Mais notre enfant, ton enfant bien-aimée,
celle qui a ton sourire et tes yeux,
elle, elle te voit, elle t'entend, elle te touche
toujours, partout.
« Regarde, Maman,
un chevreuil sur le bord de la route!
Ça doit être Papa. »
« Écoute, Maman,
l'oiseau de nuit chante un nouveau chant.
Ça doit être Papa. »
« Touche cette belle pierre, Maman.
Sens comme elle est douce!
Ça doit être Papa qui nous l'a envoyée. »

Mon Dieu,

donne-moi les yeux,

les oreilles

et les mains

d'une enfant.

TOUT DE SUITE.

S'IL TE PLAÎT.

19

Tout le monde à bord :

le voyage en train

Vous aurez peut-être de la difficulté à me croire, mais hier j'ai fait un voyage en train. Vous pensez peut-être que je fabule, étant donné que je suis assez jeune et qu'il m'arrive parfois d'avoir de la difficulté à faire la différence entre les rêves et la réalité. Mais je vous le dis, cette histoire est tout à fait vraie. Je ne sais pas si vous avez déjà eu l'occasion de prendre le train. Sinon, je vous recommande fortement de vous organiser pour le faire très bientôt. Vous ne le regretterez pas, je vous assure. Si c'est possible, amenez un jeune enfant avec vous. Peut-être ne le savez-vous pas, mais même les personnes très jeunes ont le droit de voyager en train. Je ne le savais pas moi non plus avant mon voyage, mais dans le train j'ai vu deux bébés, un avec un papa et l'autre avec une maman. C'est simplement pour vous dire qu'il n'est jamais trop tôt pour prendre l'habitude de voyager en train avec un jeune enfant.

Voici ce qui est arrivé : il y a quelques jours, ma maman, mon papa, mon chien Leroi (celui que personne ne peut voir sauf moi) et moi sommes allés à la gare pour accueillir ma grand-mère, qui avait fait un long voyage pour venir nous visiter. Cette grand-mère-là, je l'appelle « Mamie », parce que c'est son nom et que c'est une autre grand-mère que celle que j'appelle « Grand-maman ». À ce point-ci dans ma vie, j'ai rencontré deux de mes grands-mères. Grand-maman dit toujours que c'est très bien d'avoir plusieurs grands-mères; d'après elle, on ne peut pas en avoir trop. Grand-maman m'a dit que quand je serai grand, si j'en ai besoin, je rencontrerai beaucoup d'autres grands-mères, des grands-mères très gentilles qui pourront m'aider. Grand-maman était donc très heureuse que Mamie vienne nous visiter. Mamie est déjà venue nous voir plusieurs fois. Quand elle repart de chez nous, je m'ennuie beaucoup d'elle. Je ne me souviens pas toujours d'elle entre ses visites, mais quand elle revient nous voir, je me rappelle que je me souvenais d'elle.

Nous sommes arrivés à la gare, nous avons stationné la voiture et nous sommes entrés dans la salle d'attente. J'ai dit à Leroi de rester dans la voiture, parce que dans la gare tous les chiens doivent être placés dans une valise avec des trous. Je savais qu'il aurait horreur de ça. Nous nous sommes approchés d'une grande fenêtre pour voir le gros train qui arrivait sur les rails. Le train a ouvert ses portes et Mamie est sortie avec beaucoup d'autres personnes. Mais les autres personnes n'étaient pas à nous. Nous avons couru jusqu'à Mamie et elle nous a fait plein de câlins. Elle a dit que j'avais beaucoup grandi et que le temps passait très vite. Nous avons empilé Mamie et ses valises dans la voiture et nous sommes retournés à la maison. Tout le monde était excité, y compris Leroi, même s'il a dû s'asseoir sur mes genoux parce que Mamie avait pris sa place.

J'ai parlé du train pendant toute la soirée. J'en connais déjà pas mal sur les trains, étant donné que j'ai beaucoup de locomotives et de wagons, mais je n'avais jamais pris un gros train. Alors Mamie a eu une idée géniale : un jour, très bientôt, elle allait m'emmener avec elle en train, pour que je sache comment c'est. Eh bien! le jour très bientôt, c'était hier. Je peux donc vous en parler. Maman et Leroi nous ont conduits à la gare, mais ils n'ont pas stationné la voiture. Ils nous ont simplement laissés là. Mamie a parlé à une gentille dame qui nous a donné des billets pour le train, puis une grosse voix cachée nous a avertis que c'était le temps de monter dans le train. J'étais très excité mais je n'avais pas peur du tout, même si j'avais laissé mon crocodile protecteur à la maison. En cas de danger, une mamie peut vous aider encore mieux qu'un crocodile, surtout cette mamie-là.

Une fois dans le train, nous avons choisi nos sièges. J'avais mes plus belles chaussures, alors je ne risquais pas de mettre de la boue sur le siège. Je vous dis ça parce qu'un jeune enfant ne peut pas prendre le train sans se tenir debout, au moins un petit peu, sur le siège. J'ai quand même enlevé mes chaussures pour être plus à l'aise. Le monsieur du train est venu me dire bonjour et il m'a donné un cahier à colorier renfermant des tas d'informations utiles sur les locomotives. Je l'ai remercié, mais j'ai décidé de mettre le cahier dans mon sac à dos, parce que j'étais davantage intéressé à regarder dehors. Les trains ont peut-être été inventés pour obliger les gens à prendre le temps de regarder dehors.

Mamie a souvent voyagé en train, alors elle savait exactement quels étaient les points d'intérêt d'un tel voyage. Le plus intéressant, selon elle, c'est qu'en regardant par la fenêtre on voit toujours des choses nouvelles. Toutes les choses nouvelles sont alignées et prêtes à apparaître dans la fenêtre. Mais on les voit *seulement si on bouge.* C'est pourquoi un train est tellement pratique : on peut bouger sans même se déplacer de son siège. C'est beaucoup moins fatigant que si on avait à marcher ou à prendre sa tricyclette pour voir défiler les choses intéressantes. Quand on est fatigué, il faut faire la sieste ou prendre une longue nuit de sommeil. Et pendant qu'on dort, des choses intéressantes pourraient passer, et on va les rater. Ma maman et moi, nous ne sommes pas toujours d'accord au sujet du sommeil. Elle dit toujours que demain est un autre jour. Je peux comprendre son point de vue, bien sûr, mais j'ai horreur de commencer un autre jour quand je n'en ai pas encore fini avec le vieux.

Il y a un problème avec les voyages en train. Parfois, ça va tellement vite qu'on n'a pas le temps de voir toutes les choses intéressantes. Mamie m'a donc beaucoup aidé au début, en m'indiquant les choses les plus intéressantes. Par exemple, elle m'a montré une construction faite comme une tour, où l'on entrepose la nourriture pour les vaches. Ça ressemble à un gros réfrigérateur rond, mais il n'y a pas de lait dans ce réfrigérateur, seulement des céréales. Les fermiers gardent le lait dans les vaches. Puis Mamie m'a fait jouer à « J'épie avec mon petit œil ». Jouer à « J'épie », c'est plus difficile que simplement regarder quelque chose qu'on vous a indiqué, parce que c'est votre petit œil qui doit découvrir ce qu'il y a à voir. J'aime bien ce jeu-là. C'est un jeu pour les grands.

Après un bout de temps, le monsieur du train est venu nous offrir des boissons et de la nourriture. J'ai pris un jus de pomme et un sandwich au jambon, parce qu'avec un sandwich au jambon, c'est facile de savoir exactement ce qu'il y a dedans. Mamie aussi a pris un sandwich — je ne lui ai pas demandé à quoi — et un café. J'ai souvent remarqué que quand les grandes personnes prennent un café, c'est parce qu'elles ont arrêté de faire ce qu'elles étaient en train de faire et n'ont pas encore commencé ce qu'elles vont faire ensuite. Un café, c'est la différence entre avant et après. Alors évidemment, j'étais curieux de voir ce que Mamie ferait après. Je ne vois pas Mamie très souvent, alors je ne la connais pas assez pour savoir ce que ce serait.

Après avoir terminé son café, Mamie a poussé un gros soupir : elle était tellement remplie de bonheur qu'elle aurait pu exploser si elle n'en avait pas laissé échapper un peu. J'ai soupiré également, parce que moi aussi, j'étais plein de bonheur et de sandwich au jambon. Mamie m'a dit : « Félix, les enfants sont souvent meilleurs que bien des grandes personnes pour repérer les choses intéressantes. Parfois, quand les gens deviennent grands, leurs yeux s'habituent à voir certaines choses, et après un bout de temps ils ne voient plus que ces choses-là. Leur défilé de choses intéressantes devient très court et ennuyeux. C'est comme s'ils étaient dans leur propre train, et que ce train s'était arrêté. Cela n'arrive peut-être pas à toutes les grandes personnes, mais je sais que ça m'arrive à moi, de temps en temps. Quand je me rends compte que ça m'arrive, je dois trouver un moyen d'aider mes yeux à voir mieux et plus loin. Aujourd'hui, tu pourrais aider mes yeux à voir mieux en m'indiquant les choses intéressantes que je n'ai pas remarquées. C'est à ton tour, vas-y! »

Eh bien! la première chose que j'ai pensé que Mamie aimerait voir, c'est ce qu'il y a sous un siège, dans le train. Si vous regardez sous les choses, très souvent votre tête doit être à l'envers, et alors les choses ont vraiment l'air bizarres. De plus, les choses en dessous des choses sont forcément intrigantes parce que souvent elles sont un peu dans le noir. Le noir, comme vous le savez, peut être terrifiant. Mais si le noir se trouve à côté de quelque chose de vraiment intéressant, vous n'aurez pas de bulles dans le ventre, seulement un sourire de surprise. Les sièges du train étaient très intéressants, surtout après que Mamie ait demandé au gentil monsieur du train de les tourner pour que nous puissions voir dans l'autre direction. Avec les sièges tournés, tout ce qui était dans le défilé venait maintenant d'en arrière de nous et c'était très surprenant.

Un peu plus tard, j'ai emmené Mamie explorer le reste du train. Je ne connaissais pas le reste du train, mais j'inventais les choses au fur et à mesure pour que Mamie trouve du plaisir dans notre exploration. J'ai découvert que je pouvais être un bon guide, même si je voyais beaucoup de choses pour la première fois. Par exemple, les toilettes étaient vraiment étranges et bruyantes, mais Mamie n'avait pas peur parce que j'étais là. La chose la plus intéressante que j'ai montrée à Mamie, c'est l'espace entre les wagons, là où se trouvent les portes. Mamie se demandait si dans cet espace nous étions encore dans le train. J'ai pris sa main parce que je sentais qu'elle avait un peu peur de la réponse à cette question.

Par la suite, nous sommes retournés à nos sièges et au défilé, dehors. Je pensais avoir manqué beaucoup de choses pendant notre exploration du train, mais Mamie m'a expliqué que des défilés, il y en a toujours, partout, tant qu'on laisse ses yeux ouverts. Je lui ai indiqué plusieurs choses dans le défilé : beaucoup de vaches brunes avec leurs petits, un grand lac près d'une grange et un chien qui courait dans le champ. Le chien m'a fait penser à Leroi, mon chien que personne d'autre que moi ne peut voir, alors j'ai fait monter Leroi à bord du train pendant quelques minutes. Après, je l'ai renvoyé à la maison, parce que les chiens n'ont pas le droit d'être dans le train quand il y a des jeunes enfants. Les enfants peuvent contrarier les chiens. Finalement, nous sommes arrivés dans une ville où il y avait beaucoup de maisons. J'ai suggéré à Mamie de bien observer les espaces entre les maisons. Elle a aimé ça, parce qu'elle aime regarder le ciel, même si le ciel entre les maisons ne dure que quelques instants pendant un voyage en train.

Mamie m'a remercié de l'avoir aidée à voir des choses qu'elle avait oublié de regarder. Elle m'a demandé de remettre mes chaussures parce que nous allions descendre du train au prochain arrêt. Je dois dire que jusque-là, je n'avais pas réalisé que nous quitterions le train et qu'il poursuivrait son voyage sans nous. Je me suis demandé si les défilés continueraient avec le train ou s'ils me suivraient. Le train s'est arrêté. Nous avons dit au revoir au gentil monsieur du train et nous sommes descendus. Je ne savais pas ce que nous ferions après, puisque nous n'étions pas revenus dans notre ville. Soudain, j'ai aperçu ma maman et ma grand-maman, celle qui n'est pas Mamie, qui nous attendaient. Elles étaient venues nous chercher en voiture. Mais avant de retourner à la maison, Grand-maman a annoncé qu'il nous fallait célébrer la belle aventure que nous venions de vivre, Mamie et moi. Elle nous a donc tous emmenés au comptoir de crème glacée pour la célébration officielle. J'ai choisi un cornet de crème glacée au chocolat. Je préfère manger de la crème glacée dans un cornet plutôt que dans un bol, parce que si la crème glacée coule sur mes bras ou sur mon chandail, j'ai le droit de la lécher. Chez nous, c'est considéré comme impoli de lécher de la nourriture.

Leroi m'attendait à la maison. Il était content d'avoir pu venir dans le train, ne serait-ce que quelques instants. J'ai parlé du voyage avec lui plutôt qu'avec Grand-maman, parce que Grand-maman savait déjà tout sur notre voyage. Mamie lui avait tout raconté.

« *Ma vie avec toi ressemble à un voyage en train* »

Ma vie avec toi ressemble à un voyage en train.
Assis ensemble, nous parlons doucement,
profitant du paysage.
Et tout à coup, tu te lèves.
« Hé! où vas-tu? »
« Il faut que je descende ici. J'ai quelque chose à faire.
Je vais revenir très bientôt. »

Et effectivement, quand tu es prêt, je te vois revenir.
Tu dois être notre chef de gare,
parce que le train se remet à bouger

dès que tu remontes à bord.
Le train quitte la gare
et j'aperçois son nom :
« Apprendre à partager. »

De nouveau, nous redevenons
de bons compagnons de voyage.
Notre train traverse paisiblement la campagne.
Tout va bien. Et puis soudainement :
« Il faut que je descende ici. J'ai quelque chose à faire.
Je vais revenir très bientôt. »
Et voilà que tu redescends encore une fois, seul.
Et puis tu réapparais.
Le train quitte la gare
et j'aperçois son nom :
« Apprendre à accepter. »

Je sors notre itinéraire :

apprendre à aimer, à respecter, à donner,

à créer, à expérimenter, à communiquer,

à jouer, à recevoir, à refuser, à travailler…

et c'est seulement la première page de l'itinéraire.

Il y a tant d'autres gares où tu descendras

pour apprendre ce que tu dois apprendre.

Moi, je serai celle qui ne bougera pas

et qui attendra aussi patiemment que possible

que tu donnes le signal

pour que nous reprenions la route ensemble.

À ce rythme-là, notre voyage va durer très longtemps.

Et sois assuré que ce n'est pas moi qui vais m'en plaindre.

20

Malade et pourtant si vivant :

la maladie

L'autre dimanche, je suis allé au pique-nique pour les oursons en peluche. Vous pensez peut-être que je veux dire que j'ai amené mon ourson à un pique-nique. Ce n'est pas ça du tout. C'est moi qui l'ai accompagné à un pique-nique organisé spécialement pour les oursons en peluche qui sont malades ou blessés. Mon ourson n'est pas malade, même s'il se fatigue vite quand il doit travailler fort la nuit pour empêcher les méchants d'entrer par la fenêtre de ma chambre. Mais il avait un problème avec une oreille qui se détachait, et mes parents ont pensé que ça pourrait lui faire du bien de participer à un pique-nique organisé spécialement pour les oursons en peluche qui doivent travailler jour et nuit. L'air frais et les jeux lui changeraient sûrement les idées.

Il faut que vous compreniez qu'un pique-nique, ce n'est pas suffisant pour guérir une oreille qui se détache. Un pique-nique peut aider quand on a fait des cauchemars, quand on a comme des bulles dans le ventre, quand on s'ennuie de Mamie et de Papi, des choses comme ça, mais ça ne peut pas réparer une oreille. Eh bien! au pique-nique pour les oursons en peluche, il y avait plein de grandes personnes très gentilles qui étaient des médecins et des infirmières. Elles étaient là pour aider les oursons blessés à aller mieux. Il n'y avait pas seulement des oursons qui avaient besoin d'aide, j'ai vu aussi plusieurs lapins, des dinosaures, des chats, des chiens et même un cochon en peluche qui semblait avoir trop mangé. Le cochon avait l'air d'aimer beaucoup la petite fille qui l'avait emmené au pique-nique, et les docteurs ont réussi à réparer sa queue qui se détachait.

Nous avons emmené mon ourson en peluche voir le docteur pour les oreilles. Le médecin a fait des blagues avec lui pour le calmer. Mon ourson a fini par être rassuré et il a donné son consentement au traitement. Au début, je me suis dit que je n'allais pas regarder à cause des aiguilles et des ciseaux, mais le docteur m'a aidé à me détendre. Il m'a demandé si je croyais que mon ourson en peluche avait un lapin dans son oreille. C'est drôle comme des fois une idée complètement folle peut aider à traverser un moment difficile! Mon ourson s'est très bien senti quand son oreille a été replacée. Et pour le récompenser de ne pas avoir mordu le médecin, je lui ai fait mettre un plâtre sur une patte.

Après son opération, mon ourson en peluche avait besoin de manger un peu. Maman et Papa m'ont donc acheté un cornet de crème glacée. J'en ai offert une bouchée à mon ourson, mais il n'aime pas la crème glacée au chocolat. Il a seulement bu un peu d'eau. Puis nous avons joué à des jeux avec les autres enfants et leurs animaux, et nous avons écouté des musiciens venus faire de la belle musique. Ensuite nous sommes retournés à la maison, parce que tous les pique-niques doivent se terminer par une bonne sieste.

Quelques jours plus tard, ma maman m'a expliqué que je devais aller voir un médecin pour les oreilles. J'avais une oreille qui était bouchée par de l'eau. Le docteur pourrait la déboucher. J'ai demandé à Maman si c'était le médecin qui avait traité mon ourson. Maman a dit que ce ne serait probablement pas le même, parce que le médecin pour les oursons en peluche était spécialiste pour rattacher les oreilles détachées, et que mon oreille ne risquait absolument pas de se détacher. Elle m'a assuré que je pourrais discuter avec le médecin et que je saurais à quel moment donner mon consentement au traitement. Mon docteur pour les oreilles travaille dans un hôpital. C'est donc là que nous sommes allés pour le rendez-vous. Vous savez probablement ce que sont les hôpitaux et ce qu'ils font, étant donné qu'il y en a partout dans la ville. Je n'ai donc pas besoin de vous expliquer tout ça. Laissez-moi vous dire seulement que les hôpitaux sont des endroits étranges : on veut qu'ils soient là mais on ne veut pas devoir y entrer. C'est comme ça que je me sens parfois quand je pense à mon lit. Je ne voudrais pas que quelqu'un le prenne, mais je ne veux pas nécessairement y aller, surtout quand c'est l'après-midi.

Nous nous sommes donc rendus à l'hôpital. Maman m'avait suggéré d'emmener mon crocodile. En effet, aller à l'hôpital peut être toute une aventure. Et se faire pomper de l'eau d'une oreille encore davantage! J'avoue que je n'étais pas très emballé par cette histoire de pompage d'eau. Un jour, Grand-maman m'a donné un livre dans lequel on peut voir à l'intérieur du corps des gens. On voit que les gens sont remplis de différentes sortes d'eau. Je me demandais exactement quelle quantité d'eau serait pompée de mon oreille. Mais ça ne m'a pas inquiété longtemps, car le médecin m'a expliqué qu'il s'agissait d'une toute petite goutte. Il a même fait un tout petit point sur une feuille de papier pour me le montrer. Je ne vais pas vous ennuyer avec les détails de la session de pompage. Je me contenterai de dire que je n'ai pas du tout apprécié et que mon crocodile et moi, nous nous sommes assurés de le faire comprendre au médecin.

Maman est habile pour reconnaître que j'en ai vu de toutes les couleurs — même si parfois c'est elle qui m'en fait voir de toutes les couleurs. Quand je me suis senti mieux, elle m'a emmené prendre une collation dans la cafétéria de l'hôpital. J'ai mangé un biscuit à la farine d'avoine avec un peu de chocolat à l'intérieur. (Je ne crois pas que dans un hôpital on puisse obtenir un biscuit entièrement au chocolat.) Ensuite, Maman a dit que nous irions voir son amie Tracey, qui travaille avec les enfants qui ont un lit dans cet hôpital. Elle nous ferait visiter. Nous avons pris un très gros ascenseur et j'ai pu le conduire. Tracey et Maman se sont embrassées et elles ont dit que ça faisait trop longtemps. Tracey s'est promenée avec nous et elle nous a fait rencontrer d'autres infirmières et certains des enfants. J'aime bien la façon dont l'hôpital est décoré, avec des couleurs très vives et des murs remplis de dessins faits par les enfants qui ont un lit dans l'hôpital.

Nous avons vu beaucoup d'enfants, mais nous avons pu parler à quelques-uns seulement. Les autres étaient couchés dans des lits. Ils se faisaient repomper de l'eau dans le corps, je l'ai compris en voyant les tubes qui entraient dans leurs bras. D'autres avaient invité leurs parents à les visiter et ils jouaient avec eux. Dans une grande pièce, certains enfants construisaient des choses en pâte à modeler avec une gentille dame. Je ne sais pas vraiment pourquoi, mais quand j'ai vu les enfants, j'ai commencé à avoir comme des bulles dans le ventre. Une fille qui était plus grande que moi m'a dit que j'étais mignon. Elle m'a demandé si je voulais construire des biscuits en pâte à modeler avec elle. J'ai accepté, mais au début elle me faisait un peu peur, parce qu'elle avait de très grosses joues et pas du tout de cheveux. Je savais que c'était une fille parce qu'elle portait un chandail rose avec de la dentelle et qu'elle s'appelait Lucie. Nous avons parlé en faisant nos biscuits. J'ai découvert que Lucie en savait beaucoup sur les bulles dans le ventre. Elle m'a dit qu'elle en avait très souvent, mais qu'elle a beaucoup d'amis à l'hôpital qui comprennent bien les bulles dans le ventre et qui peuvent l'aider. Les amis qui comprennent les bulles dans le ventre sont comme des bons crocodiles. J'ai parlé à Lucie de ma visite chez le médecin pour les oreilles. Elle savait très bien ce que ça veut dire être obligé de faire des choses qu'on n'a pas envie de faire ou dont on a peur. Elle m'a montré son lit, qui se trouve dans une chambre avec d'autres lits remplis d'enfants. Mais les batailles d'oreillers sont interdites. Parce qu'elle avait vraiment apprécié ma visite, Lucie m'a donné une carte qu'elle avait reçue, avec des clowns et des ballons. Elle dit qu'une carte usagée est encore mieux qu'une carte neuve, parce qu'une carte se remplit d'amour et de bons souhaits chaque fois qu'elle est remise à une nouvelle personne.

Après avoir dit au revoir à Lucie et à Tracey, j'ai conduit l'ascenseur pour redescendre. Pendant que j'étais occupé à conduire, je me suis rendu compte que je n'avais plus de bulles dans le ventre. Mon crocodile dormait paisiblement dans ma poche et je l'ai laissé faire, parce que je n'avais pas besoin de lui pour l'instant. Arrivés à la maison, ma maman nous a transférés tous les deux de la voiture à mon lit pour la sieste.

Grand-maman était contente que je lui raconte cette histoire. En fait, toutes les histoires où il est question d'oursons en peluche, d'enfants ou de moi, l'intéressent au plus haut point. Elle dit qu'elle apprend beaucoup de moi, et je suis fier de pouvoir lui rendre ce service. Elle n'a pas été surprise d'apprendre que Lucie et moi avions eu du plaisir ensemble. Elle ne pouvait pas dire exactement qui était à l'origine du plaisir. C'était peut-être moi, parce que rapidement j'avais été capable de voir Lucie comme une personne amusante avec qui je pouvais jouer, et pas comme une enfant malade sans cheveux et avec de grosses joues. C'était peut-être Lucie, parce qu'elle m'avait trouvé mignon et avait senti qu'elle pouvait m'apporter quelque chose en jouant à la pâte à modeler avec moi. Parfois, les enfants malades oublient tout ce qu'ils peuvent apporter aux gens autour d'eux. Malheureusement, les grandes personnes l'oublient elles aussi parfois. Nous avions peut-être été à l'origine du plaisir tous les deux ensemble. Peu importe. Grand-maman a compris que j'ai été capable de voir Lucie telle qu'elle *est*, par opposition à ce qu'elle *a*. Lucie a été capable de me voir comme un mignon petit garçon qui était en train de vivre une aventure, et pas comme un enfant qui avait pleuré dans le bureau du médecin et qui ne savait pas la chance qu'il a d'avoir seulement de l'eau dans une oreille. D'après Grand-maman, la vraie joie entre deux personnes naît lorsqu'elles se regardent de façon à découvrir qui est l'autre. Évidemment, elles ne sauront jamais vraiment qui est l'autre personne, parce que le cœur d'une personne est toujours un mystère. L'important, c'est d'essayer de le découvrir et non pas la découverte en elle-même.

Il se peut que vous ne compreniez pas tout à fait ce qu'a dit Grand-maman. Si c'est le cas, deux choses sont possibles. La première : je pourrais vous organiser un rendez-vous avec ma grand-maman. Vous pourriez alors lui demander ce qu'elle veut dire exactement. L'autre possibilité, ce serait que vous continuiez à réfléchir à ce que Grand-maman a dit jusqu'à ce que vous le compreniez à votre façon. Je crois que Grand-maman trouverait que la deuxième solution est de loin la plus intéressante. Grand-maman avait aussi quelque chose à dire sur ce qui arrive aux enfants qui ont un lit à l'hôpital. Elle a affirmé qu'ils se font observer par plusieurs personnes qui essaient de trouver ce qui ne va pas. Tous ces gens parlent des enfants, espérant trouver le moyen de les aider à aller mieux. Souvent, les enfants s'en portent mieux. Les gens qui aident les enfants savent à quel point il est important de les observer. Grand-maman a ajouté que toutes les grandes personnes dans le monde devraient apprendre à observer attentivement tous les enfants pour comprendre ce qui leur arrive. En d'autres mots, les enfants n'ont pas besoin d'être malades pour être placés sous observation. Il a été prouvé que les enfants qui sont observés avec attention se portent mieux, même s'ils ne sont pas malades.

Cela m'a permis de rappeler à Grand-maman que nous n'avions pas observé attentivement le Prince Igor depuis un bon moment. Grand-maman m'a fait fermer les yeux pour que je trouve où était le Prince Igor. J'ai découvert qu'il voyageait près de la mer et ramassait des coquillages pour permettre à son chameau d'y entendre les bruits de l'océan. J'ai remarqué qu'une des oreilles du chameau était en train de se détacher. J'ai donc demandé à Grand-maman si ça existait, les pique-niques de chameaux. Grand-maman m'a dit qu'elle allait s'informer. Si jamais ça n'existe pas, nous pourrions en organiser un.

« *C'est une bonne journée, aujourd'hui* »

C'est une bonne journée, aujourd'hui.
Pas d'examens, pas de nouveau traitement,
pas de seringues ni de sommeil
sous l'effet des médicaments.
Tu m'as donc demandé de t'apporter
ce film qui jadis était ton préféré
— c'était il y a très longtemps —,
celui avec le poisson à la nageoire défectueuse
et au papa trop inquiet.

Je te regarde, complètement captivé par l'histoire,
et je ressens en moi cette horrible déchirure.
Ta maladie m'a fendu en deux,

en plein milieu de mon esprit et de mon cœur.
D'un côté, la terreur, la douleur, la colère,
le désespoir;
de l'autre, l'espoir, la découverte, le courage,
ton sourire.
Mes deux côtés ne se touchent pas.
Ils ne se parlent même plus.
Et je ne sais jamais lequel va répondre
quand on me pose la question tant redoutée :
« Comment va votre petit garçon? »

« Saute ce bout-là, Papa.
Avance tout de suite à ma partie préférée.

Tu sais, quand l'animal bizarre se met à danser. »

Ton visage s'éclaire et tu te mets à faire ce bruit étrange

qui te faisait rire et danser à travers la pièce.

« Hé, hé, hé, hé! Hé, hé, hé, hé! »

Ta tête et tes bras si maigres battent le rythme,

tu danses et tu danses

en t'écroulant de rire.

« Papa, n'est-ce pas que c'est amusant danser? »

Je te saisis dans un énorme câlin,

les mains jointes dans ton dos,

et tout à coup je me sens redevenu entier.

21

Devenir membre d'une Église :

un baptême

Récemment, j'ai eu l'honneur d'être invité dans une église. Certains d'entre vous savent peut-être déjà ce que sont les églises, mais d'autres ne le savent peut-être pas. Je vais donc vous expliquer comment on peut facilement reconnaître une église dans une ville remplie de différents bâtiments. C'est très simple : dans une ville, les bâtiments qui ne sont ni des maisons, ni des magasins, ni des hôpitaux, ni des gares sont des églises.

Pour ce qui est de pénétrer dans une église, c'est plus compliqué, mais ça se fait, avec un peu de chance ou d'audace. Si vous avez de la chance, quelqu'un va vous inviter dans son église. Vous pourrez alors voir tous les cierges et écouter du beau chant. Si vous n'avez pas de chance, vous devrez vous inviter vous-même dans l'église de votre choix. Ça va vous prendre un peu d'audace, parce qu'une fois à l'intérieur vous n'aurez pas d'amis pour vous diriger et vous expliquer les choses. Il est bon de savoir que les églises peuvent avoir des coins très sombres. Elles sont construites ainsi afin de permettre aux gens de reposer en paix quand ils en ont besoin.

Moi, j'ai eu de la chance. Des amis de ma maman et de mon papa nous ont invités dans leur église pour voir leurs nouveaux bébés et les accueillir dans leur communauté. Les parents des nouveaux bébés s'appellent Thérèse et Robert. Au lieu d'avoir un seul bébé, ils en ont eu deux en même temps. C'est ce qu'on appelle des jumeaux. Les deux bébés sont exactement pareils. Papa dit qu'il est très difficile de les distinguer. Je ne comprends pas pourquoi : l'un est habillé en bleu et l'autre en jaune; c'est facile de reconnaître qui est qui. C'est pratique d'avoir des jumeaux à la maison. Quand l'un des deux pleure, on peut jouer avec l'autre. Le jour où je suis allé à l'église, les jumeaux ne pleuraient pas — du moins pas jusqu'à ce que le monsieur et la dame leur versent de l'eau sur la tête, mais ça, je vais vous en parler plus tard. Les bébés ont été invités à entrer dans l'église pour rencontrer leur communauté. Une communauté, c'est beaucoup de personnes qui se rassemblent et qui s'entraident. Ensuite, ils font une fête. C'est très important pour tout le monde de faire partie d'une communauté. En effet, appartenir à une communauté peut vous aider à grandir et à devenir fort et en santé. D'après Grand-maman, c'est encore mieux quand les gens appartiennent à plusieurs communautés.

La communauté des jumeaux était déjà rassemblée dans l'église quand nous sommes arrivés. Les gens avaient commencé une sorte de fête, même s'ils ne s'étaient pas encore entraidés. Je suppose qu'ils ont la permission de fêter avant la partie de l'entraide, à condition qu'ils promettent de vraiment le faire après. Les gens riaient et se saluaient. Ils disaient : « Quelle belle occasion! » Après un bout de temps, tout le monde s'est assis sur les bancs, qui ressemblent un peu aux bancs de parc, sauf qu'ils sont tous alignés les uns derrière les autres. Je me suis assis en avant avec mes parents pour que nous puissions bien suivre l'action. L'action a commencé par du chant et de la musique. Ensuite, Thérèse a parlé à la communauté. J'avais déjà compris que je faisais partie de la communauté, parce que j'avais été invité dans l'église. Ça me faisait plaisir parce que j'aime écouter de la musique et des chants. Mais j'espérais aussi que dans cette communauté-là, la nourriture faisait partie des fêtes. Thérèse nous a remerciés d'être là avec les jumeaux, et pour tous les cadeaux. J'ai regardé autour de moi en espérant voir les cadeaux, mais je n'ai rien vu. J'aime beaucoup les cadeaux, même s'ils ne sont pas pour moi. Bien entendu, je préfère ceux qui le sont. Quand il y a des cadeaux, je propose toujours d'aider à les développer. J'y suis très habile. J'ai donc discrètement demandé à Papa où étaient les cadeaux. Papa m'a dit qu'il m'expliquerait plus tard. J'ai pensé qu'on les avait mis dans un des coins sombres — vraiment pas le meilleur endroit pour des cadeaux, si vous voulez mon avis. Tout le monde avait l'air heureux des cadeaux, et les gens se sont même applaudis. J'ai applaudi moi aussi, parce que j'aime ça, applaudir. Ça donne aux autres l'impression que je comprends ce qui se passe.

Pendant ce temps, les jumeaux dormaient dans leurs sièges d'auto et ils ne rencontraient pas la communauté. Thérèse et Robert les ont donc pris dans leurs bras et ils les ont montrés à tout le monde. Tout le monde a applaudi. Il semble que les gens dans une église aiment beaucoup applaudir. Ensuite, tout le monde s'est approché autour d'un puits pour faire un vœu. Je connais bien les puits qui permettent de faire des vœux, parce qu'il y en a dans mes livres d'histoires. Ce puits-là était un très gros bol en pierre, rempli d'eau. Thérèse et Robert ont invité les gens à faire des vœux pour les bébés. Plusieurs personnes ont dit qu'elles espéraient que les bébés grandiraient bien et mèneraient une belle vie. Les jumeaux ont été remis dans leurs sièges, parce que c'était un peu long.

Comme je commençais à m'ennuyer avec tous ces bons vœux qui n'en finissaient pas, un homme et une femme vêtus de longues robes blanches allant jusqu'à leurs chaussures ont invité Thérèse et Robert à prendre leurs bébés dans leurs bras et à bien les tenir. Ils avaient raison de leur demander de bien les tenir, car ils ont pris de l'eau dans le puits et l'ont versée sur la tête des bébés. Le jumeau jaune a presque sauté au plafond tellement il a été surpris. Sauter au plafond est une expression qui veut dire qu'on est tellement surpris qu'on a l'impression d'avoir été lancé très haut dans les airs, sans avertissement. Le jumeau jaune s'est réveillé complètement et s'est mis à pleurer. Le jumeau bleu a compris qu'il se passait quelque chose de très étrange et il a commencé à pleurer lui aussi. Je dirais même qu'il s'est mis à crier. Thérèse et Robert ont essuyé la tête des bébés avec une serviette, ils leur ont frotté le dos et murmuré des petits mots doux pour les consoler. Comme s'ils n'étaient pas ceux qui avaient laissé l'homme et la femme en blanc inonder la tête de leurs bébés! Les jumeaux sont les premiers bébés de Thérèse et de Robert; ceux-ci n'ont donc aucune idée de ce que les bébés aiment ou détestent.

Une fois les jumeaux séchés et calmés, l'homme et la femme en blanc ont annoncé à la communauté qu'ils proclameraient bientôt les noms des jumeaux. Mais avant, ils nous ont suggéré de prendre quelques instants pour penser à notre propre nom et nous sentir reconnaissants envers les gens qui ont pris la peine de nous appeler par ce beau nom. Ils nous ont expliqué que chaque fois qu'une personne prononce notre nom, elle nous touche. On devrait donc faire très attention à la façon dont on dit le nom de quelqu'un. La façon dont on dit le nom d'une personne peut être très agréable, comme si on la chatouillait avec une plume, ou pas agréable du tout, comme un pincement au cœur. Puis, l'homme et la femme en blanc nous ont dit les noms des jumeaux. Je trouve que c'est le jumeau jaune qui a eu le meilleur nom, mais les deux noms sont plutôt bien. Donc si un jour il arrivait qu'on ne puisse pas distinguer les jumeaux, ce ne sera pas grave.

Ensuite, nous avons encore chanté et prié. Quand des gens parlent ensemble et disent exactement les mêmes mots, on appelle ça une prière. Si tous les gens disaient les mots à tour de rôle, ce serait beaucoup trop long, et Celui qui écoute s'ennuierait. La prière est une excellente idée pour sauver du temps. Puis, on nous a invités au sous-sol de l'église pour manger des sandwiches et du gâteau. Je pensais que je pourrais peut-être trouver les cadeaux en bas, mais ils n'étaient pas là. Pendant que nous mangions du gâteau, Papa et moi, je lui ai de nouveau demandé où étaient les cadeaux. Il m'a expliqué que les cadeaux avaient déjà été donnés; c'est pour cela que je ne pouvais pas les voir. Il y avait aussi une autre raison : les cadeaux étaient invisibles, en quelque sorte. Voici comment ça s'est passé : Thérèse et Robert avaient tout ce qu'il fallait en fait de meubles et de vêtements pour les jumeaux. Ils ont donc demandé à la communauté un cadeau spécial. Ils ont suggéré aux gens de donner un peu de temps et d'amour à d'autres communautés. Les communautés doivent accueillir les bébés, et c'est ce qu'on avait fait pour les jumeaux. Mais les communautés elles-mêmes ont besoin d'aide pour pouvoir continuer d'aider les autres. Thérèse et Robert ont donc proposé à tous les gens de penser à ce dont les jumeaux et tous les autres bébés du monde auront besoin en grandissant. Ils leur ont suggéré de donner un peu de temps et d'amour aux communautés qui aident les bébés, les jeunes enfants et les plus grands. Ce serait notre cadeau aux jumeaux.

Papa connaît une femme qui sait que les hivers dans notre pays sont très froids. Celle-ci a donc décidé d'offrir de l'aide pour la collecte d'ensembles de neige, pour s'assurer que tous les jeunes enfants aient un ensemble de neige d'une bonne couleur. D'autres personnes se sont dit que les jumeaux ou d'autres enfants auront peut-être de la difficulté à se trouver un logement quand ils seront grands. Elles ont donc donné du temps à un refuge pour les sans-abri. Une dame a pensé que les jumeaux ou d'autres enfants auront peut-être des problèmes à entendre. Elle s'est donc inscrite à un cours pour apprendre à parler avec ses doigts pour pouvoir aider les gens qui sont sourds. Un homme était d'avis que les enfants et les adultes devaient lire pour apprendre des choses sur le monde et sur eux-mêmes. Il s'est donc engagé à donner du temps à la bibliothèque de son quartier. Une femme et son mari croient que les jumeaux ou d'autres enfants pourraient devenir malades un jour. Ils ont donc aidé à décorer l'hôpital pour enfants avec de beaux dessins pour égayer les enfants qui ont un lit à l'hôpital. Il y avait plein d'autres cadeaux comme ceux-là.

J'ai demandé à mon papa quel cadeau il avait fait. Il m'a dit que Maman et lui ont pensé que les jumeaux ou d'autres enfants peuvent avoir un jour la malchance d'avoir faim et de manquer de nourriture. Ils ont donc décidé, ces dernières semaines, de faire du bénévolat à la banque alimentaire. Papa m'a dit que c'était leur façon de dire merci pour la chance qu'ils ont d'avoir suffisamment de nourriture pour moi. Voilà donc à quoi ressemblaient les cadeaux. C'étaient vraiment les cadeaux les plus étranges dont j'aie entendu parler, mais j'avais un gros sourire dans le ventre quand je pensais aux jumeaux, à Thérèse et à Robert.

J'avais très hâte de raconter à Grand-maman mon aventure à l'église. Elle a particulièrement aimé cette histoire-là, parce qu'elle aime bien les histoires qui parlent de communautés où les gens s'entraident. Elle a trouvé que Thérèse et Robert sont des gens très généreux et créatifs. Elle m'a dit aussi que les jumeaux, sans le savoir, avaient donné à plusieurs personnes la chance d'apprendre de nouvelles choses et de répandre de l'amour dans le monde. Elle a ajouté que les jeunes enfants font cela tout le temps, par le simple fait d'avoir besoin des grandes personnes pour les aimer et prendre soin d'eux. C'est pourquoi des bébés continuent de venir au monde. La race humaine a besoin d'eux pour continuer d'apprendre et de grandir.

Grand-maman était heureuse que j'aie aimé mon expérience à l'église. Elle croit que les églises sont des endroits très spéciaux, parce que les gens se rendent à l'église quand ils veulent penser à la Vie ou à Dieu, ce qui pour elle est à peu près la même chose. Aller à l'église peut permettre de vivre un moment de silence pour dire merci à la Vie et à Dieu, pour penser à comment on peut aider la Vie et Dieu à être encore plus abondants. Il arrive qu'une église ne permette pas ces moments de silence quand elle est remplie de bruit et de gens qui célèbrent un événement spécial, comme le baptême des jumeaux. Mais ça, c'est du bon bruit. C'est le bruit de gens qui se rassemblent pour s'entraider et pour se dire qu'ils s'aiment. Le silence et le bruit sont tous les deux bons dans une église.

Grand-maman m'a dit qu'il existe différentes sortes d'églises. Elle espère qu'en grandissant je pourrai en connaître au moins quelques-unes. Ensuite, je serai capable de choisir celle qui m'aidera le plus à grandir. Selon Grand-maman, je vais grandir toute ma vie, même quand mes os auront fini de pousser et que je serai officiellement devenu une grande personne. Grand-maman a ajouté qu'après un bout de temps je pourrai même changer d'église si j'en découvre une autre qui me convient mieux. Elle a toutefois recommandé de me tenir loin des gens qui insistent pour dire que leur église est la seule qui convienne à toute l'humanité. Cette façon de penser peut créer la guerre plutôt que la paix, la compréhension et l'amour.

Grand-maman m'a dit aussi que quand je serai plus grand et que j'aurai moins besoin de faire la sieste, je pourrai retourner dans une église aussi souvent que je le voudrai. Mais en attendant, je peux inviter une église à venir en moi. Cette idée m'a semblé un peu bizarre au début, mais Grand-maman m'a expliqué qu'une église, c'est un lieu de silence où les gens peuvent trouver des réponses à leurs questions et apprendre à embrasser les grands mystères de la Vie. Ainsi, quand j'ai besoin de trouver un lieu de silence dans ma vie, je peux inviter une église à venir en moi.

Grand-maman et moi avons alors décidé d'aller voir ce qu'était devenu le Prince Igor depuis la dernière fois que nous l'avions vu. Nous l'avons trouvé assis en silence près d'un feu de camp qu'il avait fait pour se réchauffer. Vous ne le savez peut-être pas, mais il peut faire très froid dans le désert la nuit, même si le soleil peut vous brûler pendant le jour. Le Prince Igor était assis immobile afin de trouver aussi de la chaleur en lui. Il y a longtemps que le Prince Igor est parti en voyage. Et quand on voyage seul, il arrive que le cœur ait froid. Le feu de camp lui a rappelé qu'un jour il retrouverait son ourson en peluche.

Le prêtre dit : « Prions le Seigneur »

Le prêtre dit : Prions le Seigneur
pour tous ces parents
et pour tous ces enfants
qui ne prennent pas le temps de prier.
Les parents trouvent le temps
de laver, de nettoyer et de frotter,
de cuisiner, de cuire et de servir,
de consoler, d'apaiser et de sécher les larmes,
de soigner, de soutenir et d'écouter.
Tout au long du jour,
ils prennent le temps de donner de l'amour.
Pourquoi donc ne prennent-ils pas le temps de prier?

Les enfants trouvent le temps
de courir, de sauter et de grimper,
de faire semblant, d'imaginer et d'inventer,
de danser, de rire et de chanter,
de marcher, d'apprendre et de grandir.
Tout au long du jour,
ils prennent le temps de recevoir de l'amour.
Pourquoi donc ne prennent-ils pas le temps de prier?

Le Seigneur dit : Priez-moi
pour le prêtre qui travaille fort
et qui prie fort,
mais qui n'a pas encore compris
que les parents qui donnent de l'amour

et que les enfants qui reçoivent de l'amour
prient doucement tout au long du jour.

Au cours des siècles, dit le Seigneur,
j'ai eu le temps d'écouter
d'innombrables prières rigides
que m'envoyait l'humanité
— oui, cette même humanité
qui peut avoir le pire des comportements.
Et, même si seuls mes proches
le soupçonnent peut-être,
parfois j'en ai vraiment assez.
Je suis devenu un Dieu irritable
et les prières rigides m'exaspèrent au plus haut point.

Alors s'il vous plaît, quelqu'un là-bas
peut-il annoncer à toute l'humanité
que seules les prières douces
me sont vraiment agréables?
Puis-je vous demander gentiment de vous abstenir
de tout autre type de prière?

22

Découvrir les trésors de la vie : la nourriture

Je vous ai peut-être déjà mentionné à quel point j'aime le gâteau au chocolat. Grand-maman dit que le gâteau au chocolat fait ressortir le meilleur en moi. Elle a remarqué que je me comporte plutôt bien en présence d'un gâteau au chocolat. Et je suis d'accord avec elle. Le gâteau au chocolat est une chose qui va et vient dans ma vie. Si je veux aider un gâteau à venir à moi et à aller dans mon ventre, j'ai compris qu'il est utile d'être très poli et de résister à toutes les tentations relatives au lancer. Le gâteau au chocolat en vaut vraiment la peine. En fait, c'est si bon le gâteau au chocolat que c'est à peine si on se rend compte que c'est de la nourriture.

C'est pour moi un grand plaisir de parler de gâteau au chocolat, mais si ce n'était que de moi, je ne vous parlerais pas de nourriture en général. La nourriture n'apporte pas toujours de grandes joies, et la nourriture ne fait pas toujours ressortir le meilleur de moi-même. Mais Grand-maman m'a invité à quand même aborder la chose, parce que c'est un sujet très important pour l'ensemble de l'humanité. J'ai donc décidé de partager avec vous certaines de mes réflexions. Grand-maman va aimer ça, étant donné qu'elle rêve d'une terre qui serait comme un grand jardin où chacun ferait pousser de bons légumes que même les enfants pourraient apprécier et que tout le monde pourrait partager. J'aime bien faire des choses pour faire plaisir à Grand-maman, même si elle ne m'a jamais fourni de gâteau au chocolat. Cependant, il arrive qu'elle en fasse manger au Prince Igor au cours de ses longs voyages. Cela fait ressortir le meilleur de lui-même. Je suppose qu'il n'y a qu'un pas entre le Prince Igor et moi. Grand-maman me surprendra peut-être un jour…

Mes amis et moi discutons parfois de nourriture. En effet, quand on sert de la nourriture dans un groupe, on peut soit en parler, soit s'en servir comme munitions dans une bataille. Tous les adultes que je connais, et j'en connais au moins quarante-douze cents, aiment beaucoup mieux les discussions que les batailles de nourriture. Et tous les adultes encouragent les enfants à se comporter de façon civilisée avec la nourriture. De façon civilisée, ça veut dire que vous devez dire merci pour la nourriture qu'on vous donne, même si vous ne savez vraiment pas si c'est de la nourriture pour laquelle vous auriez envie de dire merci. Ça veut dire que vous devez laisser votre fourchette dans votre assiette quand elle n'est pas dans votre bouche. Ça veut dire que vous devez goûter à tout ce qu'on vous sert, même si rien ne dit que cet aliment convient aux enfants. Ça veut dire aussi que vous n'avez pas le droit de mettre les pieds sur la table. Ce sont là les règles de base, celles qu'on enseigne à tous les enfants et à toutes les grandes personnes du monde. Une règle de base, ça doit être observé, sinon vous pourriez vous faire mal. Si vous courez dans la rue, il se peut que vous vous fassiez mal. Si vous refusez de goûter à votre nourriture, il se peut que vous ayez mal : être privé de dessert peut effectivement faire très mal. Il existe plusieurs autres règles concernant la nourriture, et il semble que chaque famille ait son propre ensemble de règles. Martin, mon ami qui a deux papas, deux frères, deux maisons mais un seul chien, doit obéir à deux ensembles de règles, car chaque semaine il doit déménager d'une maison à l'autre. Parfois, il oublie dans quelle maison il se trouve et il se trompe. Dans une maison par exemple, il a le droit de manger devant la télévision. Dans l'autre, c'est considéré comme mal élevé de le faire. Le pauvre Martin oublie souvent dans quelle maison il est. Mais ce n'est pas grave, parce que Martin est très habile pour composer avec les règles. Un jour, il m'a montré un truc : « Si tu n'aimes pas une nouvelle règle, fais semblant de ne pas l'avoir entendue. Tes parents ne pourront pas t'administrer un temps de réflexion, parce qu'une des règles des temps de réflexion stipule que l'enfant doit comprendre pourquoi on lui administre un temps de réflexion. » Ce truc est excellent. Il a fonctionné toute une journée chez nous.

La nourriture peut être à l'origine de différentes batailles. Certaines batailles surviennent à la garderie, parce que, comme Denise aime bien nous le dire, ce n'est pas un restaurant ici et nous ne pouvons pas choisir le menu. Il m'est arrivé une fois de commencer une bataille de nourriture. Profitant du fait que Charles regardait ailleurs, j'ai mis un de mes morceaux de brocoli dans son assiette pour qu'il puisse grandir et avoir des os solides. Apparemment, Charles ne veut pas grandir et avoir des os solides, parce que dès qu'il a aperçu le brocoli, il l'a lancé à l'autre bout de la cuisine. Le brocoli a atterri sur la revue de Denise. Pour empirer les choses, Charles s'est aussi mis à crier. Pourquoi? Je n'en ai pas la moindre idée. Le brocoli n'avait même pas touché à sa bouche. Denise n'a pas du tout apprécié le comportement de Charles, mais pour une raison que je ne comprends pas, c'est moi qui ai dû subir un temps de retrait. Cette expression veut dire la même chose que temps de réflexion.

Mes amis et moi sommes d'accord pour affirmer que la nourriture peut être vraiment embêtante. Nous avons déjà discuté de la façon dont il faut se comporter avec les parents qui ont un problème de nourriture. Et effectivement, la plupart des parents en ont un. Ils font beaucoup d'efforts pour nous donner de la nourriture bonne pour la santé et ils s'inquiètent devant les légumes qui restent dans notre assiette. Ils peuvent être très contrariés quand nous ne manifestons pas d'enthousiasme devant des choses comme le tofu ou le pain complet sans additifs. Je vous ferais remarquer que la plupart des gens ne savent même pas de quoi est fait le tofu, et pourtant ça ne les empêche pas d'être heureux.

Les enfants n'aiment pas que leurs parents soient contrariés. En effet, la contrariété des parents peut déborder et se répandre sur leurs enfants. Parents et enfants sont alors un peu à l'envers, surtout leur ventre. Les enfants doivent donc essayer de faire en sorte que leurs parents arrêtent de s'en faire avec la nourriture. Ce n'est pas facile, parce que nourrir leurs enfants est la tâche la plus difficile des parents. Je commence à peine à comprendre que c'est vraiment une tâche très compliquée. Il faudra que je demande à Grand-maman pourquoi c'est comme ça. Je ne pense pas qu'elle ait une quelconque expérience dans la tâche de nourrir des jeunes enfants, mais ça ne l'empêchera pas d'inventer une bonne réponse.

À ce moment-ci, je vais partager avec vous un truc qui pourra vous aider avec les problèmes de nourriture. Si vous vous inquiétez de ce qui entre dans votre bouche, il existe une façon de contrôler la situation : proposez d'aider à préparer la nourriture. Le plat que vous avez préparé est toujours bon, à part les quelques fois où il ne l'est pas. J'aime bien quand ma maman me demande de faire la cuisine. Ça lui permet de prendre une pause et elle peut se concentrer sur le nettoyage, sans s'inquiéter de la nourriture comme telle. Je suis un bon cuisinier, si je peux me permettre de le mentionner. Je pourrais vous donner ma recette d'Œufs Ariane, si vous voulez. Ariane est ma cousine. Elle fait preuve de beaucoup de créativité avec les œufs. Assurez-vous simplement d'avoir au moins un œuf de plus que ce que demande la recette.

Je savais que Grand-maman serait très intéressée à m'expliquer pourquoi les questions de nourriture peuvent devenir aussi compliquées dans les familles. Elle aime la nourriture et elle aime les familles. Elle a donc beaucoup réfléchi sur le sujet. Elle croit que tous les gens de la terre, même ceux que nous n'avons jamais rencontrés, font partie d'une même famille. Ils doivent donc cultiver ensemble leur nourriture et la partager pour que tous et toutes aient de quoi manger. Évidemment, plus la famille est grande, plus il est difficile de s'entendre. Grand-maman reconnaît que la grande famille de la terre n'a pas encore réglé ses problèmes de nourriture.

Grand-maman croit que si les parents ont tendance à s'inquiéter au sujet de la nourriture, c'est parce qu'à un certain niveau ils savent qu'ils font bien plus que nourrir leurs enfants pour les aider à grandir et à avoir des os solides. En leur donnant à manger, ils leur parlent de relations. Et les relations sont souvent très compliquées.

La première des relations est celle de la personne avec elle-même, avec son ventre et ses idées. Parfois, les parents oublient que le ventre et les idées de leurs enfants vont leur dire quand ils ont besoin de nourriture, ou quand ils ont assez mangé, ou quand un certain type de nourriture n'est pas le bienvenu. Quand les parents oublient cela, ils se sentent obligés de dire à leur enfant de manger encore un morceau de carotte, comme si le ventre et les idées de l'enfant n'étaient pas capables de déterminer que c'est assez. Quand les parents font le travail du ventre de leur enfant, ce ventre peut devenir très paresseux et les idées aussi. Après un bout de temps, le ventre et les idées arrêteront de parler de nourriture. L'enfant sera alors obligé de passer le reste de sa vie à écouter ce que les autres disent au sujet de la nourriture. D'après Grand-maman, les parents ont tendance à travailler trop fort et à oublier que leurs enfants sont de bons petits animaux. Ils se laissent parfois emporter par leur travail et oublient de se détendre un peu. Le brocoli est un sujet idéal pour s'exercer à se détendre à propos de la nourriture.

La deuxième relation est la relation que nous avons avec la terre entière. Grand-maman aime bien ramener la terre entière dans nos discussions. Je pense que c'est pour ça qu'elle fait voyager le Prince Igor dans les pays les plus lointains possible. D'après Grand-maman, les parents doivent préparer leurs enfants à cette relation avec la terre entière. Il paraît que la nourriture est l'un des meilleurs outils pour se préparer à faire son chemin dans le monde. J'ai été très surpris d'apprendre ça. Je pensais que la nourriture servait seulement à manger. Mais Grand-maman s'y connaît bien, et même si ce n'était pas le cas, vous ne verriez pas la différence tellement elle est convaincante. Je vous dis donc les choses telles qu'elle me les a livrées.

D'après Grand-maman, la nourriture nous apprend à *donner*. C'est ce que font mes parents quand ils s'assurent de bien me nourrir.

La nourriture nous apprend à *recevoir et à être reconnaissants*. C'est pour cela que je dis merci à Maman et à Papa quand ils me donnent mon assiette.

La nourriture nous apprend à *partager*. C'est pour cela que mes parents mettent de la nourriture dans la boîte de la banque alimentaire à l'épicerie.

La nourriture nous apprend à *goûter les plaisirs simples*. Pour cela, il y a le gâteau au chocolat.

La nourriture nous apprend à *travailler*. C'est pour cela que mes parents me permettent d'aider à préparer le repas.

La nourriture nous apprend à *accepter*. C'est pour cela que je ne peux pas toujours avoir la nourriture que je veux.

La nourriture nous apprend à *respecter*. C'est ce que je fais quand j'écoute ce que mon ventre et mes idées ont à dire au sujet de la nourriture. C'est aussi ce que je fais quand je ne gaspille pas de nourriture.

La nourriture nous apprend à *être créatifs*. C'est pour cela que mes parents inventent toutes sortes de recettes et d'idées pour m'aider à apprécier la nourriture et à bien manger.

La nourriture nous apprend à *demander*. C'est ce que je fais quand j'en redemande.

La nourriture nous apprend *à faire des essais et aussi des erreurs*. C'est pour cela que parfois mes parents jettent une recette et jurent de ne jamais plus servir ce plat.

La nourriture nous apprend à *exprimer nos idées et nos sentiments*. C'est pour cela que devant la nourriture je dis parfois « miam » et parfois « beurk ». Il est permis de dire ces choses-là, mais pas de lancer ma nourriture par terre pour montrer que je ne l'aime pas.

La nourriture nous apprend à *faire des choix*. C'est pour cela que ma maman me demande quelle sorte de céréales je veux manger le matin.

La nourriture nous apprend à *refuser*. C'est ce que je fais quand je dis « non merci ».

Lorsque j'aurai appris toutes ces choses, même de façon très imparfaite, je serai prêt à partir à la découverte du monde et à parcourir la terre pour donner et recevoir de l'Amour. Et c'est à ce moment-là que le Prince Igor trouvera finalement son ourson en peluche.

Tout cela d'après Grand-maman, bien sûr.

« *Nous sommes assis l'un en face de l'autre* »

Nous sommes assis l'un en face de l'autre.
J'essaie d'être patient avec toi.
Tu essaies d'être patiente avec moi.
Je veux que tu comprennes que ces légumes,
préparés avec amour et savoir-faire nutritionnel,
t'aideront à grandir et à avoir des os solides,
et donc qu'ils sont bons pour ta santé.
Tu veux que je comprenne que cette chose gluante
risque de te transformer en un gros fantôme vert,
et donc qu'elle est mauvaise pour ta santé.

Tes yeux se détournent des miens
et fixent le vide.
Je vois bien que tu ne m'écoutes plus.
Peut-être ton regard scrute-t-il l'avenir,
cet avenir où tu pourras enfin décider
de ce que tu veux manger, quand, comment, où et pourquoi.
Pendant ce temps, je scrute l'avenir,
un avenir très lointain, j'espère,
où je serai vieux, fragile,
sur le point d'entreprendre l'aventure d'une vie nouvelle.
Mes petits-enfants sont réunis à mon chevet
pour entendre mes dernières paroles de sagesse.
Il faudra que ce soit court,
mon souffle s'épuise.

Je voudrais dire à mes petits-enfants
de faire de bons choix de nourriture :
de choisir ce qui les nourrit vraiment,
physiquement et spirituellement;
de choisir ce qui les aide à grandir
et à devenir grands, forts, aimants;
de choisir de faire des choix
et d'avoir le courage de les modifier.

Je voudrais dire à mes petits-enfants
de prendre bien soin de leurs choix :
de les soutenir, de les embrasser et de les chérir.
Je voudrais leur dire de toujours honorer leurs choix
et de bien les faire.

Mais tout cela serait vraiment trop long à dire
pour mon souffle faiblissant.
Je regarde donc avec amour mes chers petits-enfants
et je murmure :
« Choisissez votre nourriture et nourrissez vos choix. »

Table de matières